VERLIEFD, VERLOOFD, VERDACHT

Omslag: CO2 Premedia bv, Amersfoort
Binnenwerk: Mat-Zet bv, Soest

ISBN 978-94-90763-58-9

© 2012 Uitgeverij Cupido
Postbus 220
3760 AE Soest
www.uitgeverijcupido.nl
http://twitter.com/UitgeveryCupido
http://uitgeverijcupido.hyves.nl

Sandra Berg

VERLIEFD, VERLOOFD, VERDACHT

Romantisch en (ont)spannend

Uitgeverij Cupido

HOOFDSTUK 1

Mindy's wangen voelden warm aan toen ze de parkeerplaats van conferentiehotel Willibrordhaeghe in het Limburgse Deurne op reden. Ze wierp een korte, onopvallende blik op Ron.

Hij zag er anders uit dan anders, vond ze. Anders dan anders in zijn voordeel natuurlijk. Niet dat hij er normaal gesproken niet leuk uitzag... oh nee. Ze keek altijd al graag naar hem. En op momenten waarop ze dat ongemerkt kon doen, liet ze dat ook zeker niet achterwege.

Maar nu had hij die ontspannen, misschien zelfs een tikje geamuseerde uitstraling, wat hem toch nog net wat aantrekkelijker maakte. Ze had zijn aanbod om samen met hem naar Deurne te rijden uiteraard meteen aangenomen. Niet alleen omdat het nu eenmaal gemakkelijker en logischer was om samen te rijden en omdat het beter was voor het milieu, maar vooral ook omdat ze geen gelegenheid voorbij wilde laten gaan om extra tijd in zijn buurt door te brengen.

Ze wist dat hij haar mocht, maar twijfelde of het meer was dan alleen dat. Er waren momenten waarop ze werkelijk ervan overtuigd was dat hij meer in haar zag dan alleen een gedreven assistent met ambities, met wie hij goed kon praten.

Maar soms was er ook die vreselijke onzekerheid.

Was ze nu maar iemand die het gewoon ter sprake bracht, dan zou ze niet met die onzekerheid rond hoeven te zeulen. Maar zo iemand was ze nu eenmaal niet.

Ze hield zich steeds voor dat een bekentenis over haar ware gevoelens voor hem de arbeidsverhouding kon verstoren en dat ze een dergelijk risico niet wilde lopen. Maar eigenlijk was ze vooral bang om een blunder te slaan.

Ron parkeerde de auto perfect tussen twee andere auto's – een Volvo en een Mercedes – in, zoals hij alles perfect deed, en keek Mindy aan. "Ben je er klaar voor?" Zijn blauwe ogen leken een tintje lichter dan anders en sprankelden.

Mindy vormde haar licht trillende lippen tot een glimlach. "Absoluut."

"Goed. Dan zullen we ze eens laten zien uit welk hout we gesneden zijn." Hij grijnsde en stapte uit.

Mindy volgde haastig zijn voorbeeld. Ze liep meteen door naar achteren om haar splinternieuwe koffer op wieltjes uit de kofferbak te halen. Het ding had een vermogen gekost, maar ze kon onmogelijk met een aftandse koffer op een seminar verschijnen waar deelnemers succes en stijl uitstraalden.

Ze streek haar kleding wat nerveus recht. Ze droeg een linnen broek die veel te snel kreukte en een licht bloesje, dat ze speciaal voor deze gelegenheid had gekocht. De verkoopster had beweerd dat de kleding haar de zakelijke uitstraling gaf die ze nastreefde, maar op dit moment vroeg Mindy zich af of verkoopsters niet altijd vertelden wat de klant wilde horen. Ze had het gevoel dat de kleding haar in zijn geheel een verfrommeld uiterlijk gaven. Maar als je niet meer op de verkoopster kon vertrouwen… op wie dan wel? Uiteindelijk had de verkoopster haar ook andere combinaties kunnen opdringen, als het alleen de drang tot verkopen was geweest die haar tot dit advies had aangezet.

Mindy schoof haar twijfels over haar kleding haastig aan de kant en richtte haar aandacht op het hotel. Willibrordhaeghe was destijds gebouwd om onderdak te bieden aan de broeders en fraters van het in de oorlog verloren gegane missiehuis in Uden en een theologisch opleidingsinstituut te vormen ter voorbereiding op hun missiewerk, en die serene, voorname uitstraling van toen was niet verloren gegaan. Het doemde voor haar op als een statig bewijs van een belangrijke taak in voorbije jaren.

Toch nog steeds wat onzeker volgde ze Ron richting entree, terwijl haar blik over het door een groene heg omringde terras gleed, met her en der oude, robuuste eikenbomen die lampen als korfjes aan hun takken droegen. Donkere glanzende beelden in de vorm van vogels en menselijke gedaanten sloegen haar bewegingsloos gade. Soortgelijke beelden – alsof ze uit dezelfde familie stamden en een eigen ras vormden – hadden ook een thuis gevonden in het grind voor het hotel en in de parkachtige tuin aan haar rechterhand.

Haar blik bleef wat langer rusten op een mensachtige gedaante met enorme handen en voeten, die het witte bordje aan de voorkant leek te bewaken waarop de gast werd geadviseerd om niets in de auto te laten liggen. Blijkbaar sloeg de moderne civilisatie met bijbehorende problemen overal toe. Zelfs in de zo vreedzaam ogende wereld rond het oude klooster.

Mindy voelde de neiging om de stier aan te raken, die in zwart brons vlak bij de ingang van het hotel lag te rusten, maar ze gaf geen gehoor aan die inval en volgde Ron met haastige dribbelpasjes op haar ongemakkelijke – maar representatieve – schoenen met hakken naar binnen. Ze was blij dat ze niet voor de héle hoge hakken had gekozen. Omdat ze nogal klein van stuk was en bovendien meer gevuld dan haar lief was, waren hoge hakken optisch gezien de beste keuze geweest. Dat hadden ze in de schoenenzaak – die ze speciaal voor dit doel had bezocht, maar eigenlijk te duur was – ook voorzichtig opgemerkt. Met de nodige omwegen, natuurlijk. Ze wilden uiteraard geen klant verliezen.

Mindy wist dat ze gelijk hadden, maar ze kon eenvoudigweg niet lopen op die wiebeldingen. Ze vond het nette schoeisel aan haar voeten met het te degelijke uiterlijk en aanvaardbare hakken al een ware plaag. Zelfs de platte schoenen die ze op haar werk droeg, zaten niet uitgesproken lekker, maar nog altijd beter dan deze gehakte monsters. Ze miste haar oude comfortabele gymschoenen, die ze thuis stiekem droeg. Maar het idee dergelijke schoenen mee te nemen naar een seminar als dit, nota bene in gezelschap van Ron, was lachwekkend.

Ron stond inmiddels al aan de balie, die zich langs de zijkant van de hal uitstrekte in moderne strakke vormen. Terwijl hij het woord deed bij de jonge, keurig geklede vrouw die hem met een gedienstige glimlach op haar ronde gezicht aankeek, bewonderde Mindy de hal, die in een brede gang uitliep en van kaarsrechte langwerpige grijze pilaren was voorzien.

Rechts achter de pilaren zag ze de lange tafel, bedoeld als leestafel voor wachtende gasten. Ze ving een deel van de schilderijen aan pilaren en wanden op, maar kon vanwaar ze stond de afbeeldingen niet zo goed zien. Alleen de kleuren vielen op.

Tegenover de ingang van het hotel leidde een dubbele deur – bewaakt door twee witte zuilen die als wachters zwijgend op haar neerkeken – naar een gewelfde overdekte gang met bakstenen zuilen die het mogelijk maakte om met regen via de binnentuin de overkant van het gebouw droog te bereiken. Voor de slechte dagen of de momenten waarop je niet buiten wilde komen, bood de deur ernaast toegang tot de lange gang, die je voorbij de vergaderkamers naar het achterdeel van het hotel leidde.

Maar vandaag was geen slechte dag en regende het niet. Het was mei en de zon scheen.

"Mindy?"

Mindy schrok op uit haar overpeinzingen en keek naar Ron.

"Of je ook even wilt ondertekenen?" Hij wees op het formulier dat op de balie lag.

"Natuurlijk," stamelde Mindy haastig. Ze schonk de geduldige receptioniste een haastige glimlach en ondertekende het formulier. Toen ze de sleutel in ontvangst nam, zag ze vanuit haar ooghoeken een blonde jongen na een uitdagende blik in haar richting via de dubbele deur de boogjesgang in de binnentuin in rennen. Ze had geen idee waar de knaap vandaan kwam.

Ze verbaasde zich een beetje over de oubollige kleding van de blonde jongen. Hij was rond de twaalf of dertien, schatte ze, en ze wist niet beter dan dat jongens van die leeftijd stoere kleding met doodskoppen of coole prints, afgedragen jeans of broeken die vijf maten te groot waren en met moeite ergens halverwege de billen bleven hangen, verkozen boven nette bloesjes en een herenpantalon met plooi, zoals deze blonde knaap droeg. Maar heel erg veel verstand van kinderen had ze niet. En van het modebeeld van de jeugd nog minder.

Ze zag dat Ron een beetje gespannen om zich heen keek terwijl ze door de hal richting gang liepen. "Heb je die jongen ook gezien?" vroeg ze. Misschien kon Ron niet zo goed tegen kinderen. Hoewel een jongen van twaalf, hooguit dertien, nauwelijks meer echt een kind was, waren er veel mensen in hun omgeving die in een dergelijk geval over kinderen praatten. Misschien omdat puber een negatieve bijklank had. Misschien mocht Ron ook geen pubers. Dat was best mogelijk. Mindy wist het niet. Ze had nooit met Ron over kinderen of pubers gepraat. Waarom zou ze?

Ron keek haar nu wat verstrooid aan. "Wat? Welke jongen?"

"De blonde knaap die net de boogjesgang op de binnentuin in rende." Automatisch wierp ze een korte blik richting boogjes voordat ze de ernaast gelegen gang in liepen. Ze zag de jongen niet meer. Natuurlijk niet, want hij had hard gerend.

"Ik heb geen jongen gezien," beweerde Ron. "De boogjesgang, zoals jij hem noemt, heet trouwens de Breviergang."

"Dat wist ik niet." Mindy voelde zich een beetje dom.

"Ik ook niet. Ik las het toevallig ergens. Het personeel schijnt het overigens 'boogjes' te noemen. Boogjes zoals in Boogjesgang. Zoals jij hem noemde."

"Maar je zag die jongen niet? De blonde die door de Breviergang of Boogjes rende?"

"Nee. Niemand gezien."

"Oh. Je keek zo om je heen en ik dacht dat je je verbaasde over die jongen."

"Nee. Nee, dat is het niet." Ron vergrootte zijn passen toen hij de gang in liep en Mindy moest bijna rennen om hem bij te houden. Ze nam nauwelijks de tijd om naar de namen en afbeeldingen naast de deuren te kijken, maar hield haar blik strak op Rons rug gevestigd en kon zich nog net op tijd in de lift bij hem voegen.

Ze voelde verbijstering over de verandering die hij onderging nu hij hier was. Onderweg had hij zo ontspannen geleken en gepraat over de zaak en over alle plannen die hij voor de toekomst had. Ze was er zeker van geweest dat hij uitkeek naar het seminar. Misschien zelfs wel naar het seminar samen met haar. En nu leek het opeens alsof hij hier liever niet was.

Mindy vroeg zich af of ze er iets over zou zeggen, maar twijfelde. Ron was tenslotte nog altijd haar baas. Op weg naar Deurne had ze dat gemakkelijk kunnen vergeten, door de vertrouwelijkheid die er tussen hen was ontstaan. Maar in het voorname hotel, met een seminar in het vooruitzicht waarbij ze zou worden voorgesteld als de assistente van meneer Van Bauwen – of spraken mensen tijdens een seminar elkaar aan met de voornaam? – vroeg ze zich af of die vertrouwelijkheid tussen hen geen inbeelding was geweest. Temeer omdat hij nu opeens weer zo duidelijk de onbereikbare persoon was die hij vaak in bijzijn van anderen leek.

Ze bereikte haar kamer voor hem, aangezien hij een stukje verderop in de gang was ondergebracht, en hakkelde slechts een korte groet, toen ze haar kaartje in de lezer stak.

Hij beantwoordde haar groet zonder om te kijken. Pas toen ze naar binnen liep en de deur weer bijna dichttrok, riep hij haar naam.

Mindy stak haastig haar hoofd weer naar buiten.

"Over een uurtje koffie op het terras?" vroeg hij.

"Over een uurtje op het terras," antwoordde ze meteen, deels opgelucht, deels onzeker.

"Zie je dan," zei Ron en hij verdween in zijn eigen kamer.

Mindy wachtte een tel – zonder te weten waarop – en liep haar eigen kamer binnen. De ruimte was op een wat klassieke manier strak vormgegeven. Hij had de serene uitstraling die haar in het hele gebouw zo was opgevallen en ze nam aan dat het een goede binnenhuisarchitect was geweest, die hier zijn adviezen had gegeven. Ze vond het een beetje beschamend dat ze nog niet meer aandacht had besteed aan de inrichting en gebruikte materialen van het voormalige missiehuis, maar ze mocht van zichzelf het excuus gebruiken dat het de veelheid aan indrukken was geweest die haar daarvan had weerhouden.

Eerlijk was eerlijk... de aanwezigheid van Ron speelde ook geen onbelangrijke rol. Maar juist vanwege zijn aanwezigheid zou ze meer aandacht moeten besteden aan de inrichting van het voormalige klooster. Ook al had hun bedrijf natuurlijk de binnenhuisarchitecten die daar het meest in thuis waren en de beste adviezen op dat gebied verzorgden... Dat ontnam haar niet de plicht om zelfstandig na te denken en er een eigen mening op na te houden. Liefst een eigen mening die verantwoord was.

Maar de kamer was in ieder geval een aangename verademing na een niet zo lange, maar stressvolle reis – het viel tenslotte niet mee om als een verliefde bakvis naast je baas kilometers af te leggen en alleen over werk te praten – en het bed zag er uitnodigend uit.

Ze had een uur om zichzelf op te frissen. Een uur leek lang, maar niet als je een uitstraling wilde creëren die weliswaar de aandacht trok, maar niet vanzelfsprekend was. Ze opende haar koffer, hing haastig haar veel te kwetsbare kledingstukken op en viste haar beautycase eruit om haar gezicht bij te werken. De versleten spijkerbroek en het shirt met Garfield liet ze in de koffer liggen. Ze wist niet waarom ze die kledingstukken had meegenomen. Misschien omdat ze het belachelijk en absoluut nergens op gebaseerde idee had dat uitgerekend deze kapot gedragen stukken textiel haar geluk brachten. Iets wat ze nooit hardop zou willen toegeven.

De lichte badkamer bood een veelheid aan licht, die iedere oneffenheid pijnlijk duidelijk maakte. Natuurlijk was die lichtinval noodzakelijk om haar make-up bij te werken. Maar het zorgde ook voor een zorgelijke trek op haar gezicht, toen ze constateerde dat haar make-up voor een deel in het grote niets opgelost leek te zijn. Waarom hadden filmsterren dat probleem nooit? Of haar moeder en zussen, om wat dichter bij huis te blijven?

Ze zuchtte maar eens diep en begon met het herstellen van de ravage. Strikt genomen was het wellicht niet zo erg als ze in gedachten omschreef, maar ze had nu eenmaal de neiging om kleine probleempjes tot ware rampen te verheffen als het op het werk – of beter gezegd in de nabijheid van Ron – gebeurde. Ze was zich bewust van dat ongemakkelijke trekje, maar kon het niet helpen. Ze was werkelijk verliefd.

Terwijl ze zichzelf in de spiegel bekeek en zo zorgvuldig mogelijk als ze onder de huidige omstandigheden kon opbrengen haar make-up aanbracht, dacht ze in een flits aan het meisje dat ze eens was geweest, eindeloos lang geleden. Heel even zag ze haar eigen blozende gezicht weer voor zich, zoals haar dat destijds in de spiegel had aangestaard. Het was een periode geweest waarin ze het liefst haar tijd buiten doorbracht en met dieren rommelde. Haar moeder had wel eens opgemerkt dat ze een boertje leek, in haar vale spijkerbroek die met behulp van kleurige lappen intact werd gehouden en de altijd veel te ruime shirts. Misschien had haar moeder er niets mee bedoeld, maar voor Mindy had het min of meer als een beschuldiging geklonken.

Haar twee zussen waren anders. Die hadden nooit hun moderne kleren een modderbad gegeven in hun kinderjaren, zoals zij zo vaak had gedaan, en daarmee de woede van hun moeder op de hals gehaald. Ze waren nooit gevallen voor de gemakkelijke kledingstukken die je droeg totdat ze letterlijk uit elkaar vielen waar zij altijd al een voorkeur voor had gehad, en ze hadden nooit, nee, nóóit van die irritante rode wangen gehad. Haar twee jongere zussen waren waarschijnlijk de geslaagde experimenten van de liefde tussen haar ouders. Ze nam tenminste aan dat er toen nog echt sprake was geweest van liefde. Want als dat nu nog steeds zo was, wisten ze dat erg goed te verbergen.

Ze schudde onwillekeurig met haar hoofd, waardoor ze met de mascara uitschoot en een zwarte streep over haar wang trok. Geweldig. Nu kon ze helemaal opnieuw beginnen, want het wegpoetsen van de mascarastreep betekende ook het wegpoetsen van de dekkende foundation en rouge.

Geïrriteerd poetste ze alles weg en zorgde deze keer voor een betere concentratie. Het had tenslotte geen enkel nut om aan vroeger te denken. Vroeger was definitief voorbij. Ze leefde in het hier en nu, zoals vele goeroes in tijdschriften altijd beweerden. En hier en nu was ze een jonge, goedgeklede vrouw met toekomstperspectief. En als ze dat maar vaak genoeg tegen zichzelf zei, geloofde ze het op den duur misschien zelf ook nog.

HOOFDSTUK 2

Armando parkeerde zijn grasgroene Kever naast de blinkende Audi. Hij was net op tijd, zag hij. De parkeerplaats stroomde zo langzaamaan vol met dure auto's. Gezien het hoge gehalte aan nette pakken en zakelijke jurkjes stond er een of ander congres of seminar op het programma, vermoedde hij, waarbij mensen elkaar de loef probeerden af te steken met een belangrijke uitstraling en hoogdravend taalgebruik.

Hij zuchtte alleen al bij de gedachte.

Aan één kant speet het hem dat hij uitgerekend nu een paar dagen in het hotel zou doorbrengen. Van rust kon geen sprake zijn. Aan de andere kant bood het natuurlijk ook mogelijkheden. Veel mensen betekende veel inspiratie. Althans meestal.

Hij stapte uit en wierp een blik op het imposante gebouw, dat nog niet eens zo lang geleden als klooster onderdak bood aan priesters, broeders, priesters in wording en andere schoolgaande jongeren.

Als hij niet beter had geweten, zou hij ervan uit zijn gegaan dat het klooster al een eeuw op die plek stond. Maar hij wist wél beter. Hij had zijn huiswerk gedaan. Nou ja, wellicht niet zo nauwkeurig als van hem werd verwacht, maar voldoende om te weten dat St. Willibrordhaeghe uit 1954 stamde. Nog niet eens zo erg lang geleden dus.

Hij was onder de indruk. Dat gebeurde niet zo snel en al helemaal niet bij de aanblik van een hotel, maar St. Willibrordhaeghe vormde een uitzondering.

Niet eens vanwege de bouw – hij had tenslotte foto's gezien – maar vooral vanwege de uitstraling. Het was vooral de sfeer die om het gebouw heen leek te zweven, die ervoor zorgde dat zijn blik eenvoudigweg lang bleef hangen. Het was alsof hij de aanwezigheid van de priesters, broeders en opgeschoten jongeren nog kon voelen. Helemaal onlogisch was dat overigens niet, aangezien de overgebleven bewoners van St. Willibrordhaeghe op 2 september 2002 hun intrek hadden genomen in het ernaast gelegen missiehuis en dus in feite nog deel uitmaakten van het geheel. Maar het was meer dan dat, vond hij. Het was de aanwezigheid van een vroegere tijd; een vroegere bedrijvigheid, die nog deel leek uit te maken van het geheel.

Natuurlijk zag Armando ook de beelden. Hij had al begrepen dat die er waren, maar hij vond het aangenaam om ze in werkelijkheid te zien. Ze pasten bij het hotel alsof ze hier altijd hadden gestaan. Dat was uiteraard niet zo, maar ieder beeld leek hier eenvoudigweg thuis te horen. Ze straalden rust en eenvoud uit, net als het hotel, de kapel en de tuin.

Een goede keuze, bedacht hij tevreden. Hij wist nu al dat hij die sfeer terug moest laten komen in zijn schilderijen. Het maakte een essentieel onderdeel uit van het hotel. Zonder dat zouden zijn schilderijen slechts nietszeggende prentbriefkaarten zijn.

En Armando hield zich niet bezig met nietszeggende prentbriefkaarten.

Hij pakte zijn bolhoedje uit de auto en plaatste het op zijn weerbarstige rossige kruin. Zijn hand gleed even over zijn even rossige snor en baard, voordat hij zich bukte om de oude bruin leren koffer uit de Kever te trekken. Hij had de koffer ooit op een rommelmarkt op de kop getikt voor vijftig cent. Niemand had het ding willen hebben, zoals het daar tussen de andere rotzooi had gelegen, onder het stof en met een paar fikse scheuren in het versleten bruine leer. Maar hij had het mee naar huis genomen als een verloren kind, schoongemaakt en ingevet en de scheuren op creatieve wijze met lappen leer gerepareerd. Voor zover mogelijk dan. Heel erg veel kon de oude koffer waarschijnlijk niet verdragen, maar hij nam eigenlijk nooit zoveel spullen mee dat de kwetsbare bovenkant ooit onder druk kwam te staan.

Hij was zich bewust van de korte, haastige blikken, die de andere arriverende gasten op hem wierpen. Sommige blikken waren minachtend, andere verbaasd of misschien wel lacherig.

Armando was aan die blikken gewend en hier, bij dit hotel, verbaasde het hem nog veel minder. Zijn uiterlijk was nu eenmaal anders dan dat van de meeste mensen en al helemaal anders dan dat van de zakenlieden die nu de parkeerplaats massaal opreden.

Net als zijn kleding. Hij geloofde niet dat een van hen ooit een tuinbroek zoals hij die aanhad van dichtbij had gezien. Het shirt met bloemen, dat hij eronder droeg, was waarschijnlijk ook niet erg gangbaar onder de mannen. Hij grinnikte een beetje toen hij bedacht dat de meeste mannen als de dood waren om als homofiel te worden aangemerkt als ze iets met bloemen droegen. Behalve uiteraard de mannen die homofiel waren en zich daar terecht niet voor schaamden.

Armando had geen last van dergelijke angsten. Hij wist zelf wel wie hij was. Daar had hij geen anderen voor nodig.

Hij sloot de Kever af en liep met stevige passen naar de entree van het hotel. Af en toe bleef hij even staan om naar de beelden te kijken. Dan vormde zijn mond een kleine glimlach, alvorens hij verder liep.

De hal die hij binnen wandelde, was licht en groot.

Het was druk aan de balie, zoals hij al had verwacht. Hij liet zijn koffer staan en wandelde op zijn gemak door de hal en aansluitende gang, om de schilderijen op de pilaren, muren en halve afscheidingen naar de zithoekjes bij de voorname ramen te bekijken. Sommige vond hij de moeite waard, andere waren wat minder naar zijn smaak. Maar ze pasten in de omgeving, vond hij.

Hij wandelde verder de brede gang in, voorbij de garderobe en de zaal rechts, waar een paar personeelsleden van het hotel alles op orde brachten voor de gebeurtenis die zoveel zakenmensen trok door hoge tafeltjes te bekleden met nette kleedjes, totdat hij het einde van de gang bereikte, waar hoge halfronde ramen uitzicht boden op het terras links van hem. Een zitje gaf de mogelijkheid om hier naar buiten te staren of naar de mensen te kijken die zich bij het voetbalspel uitsloofden, dat hier in deze ruimte was opgesteld. Verder naar links, achter een ongetwijfeld authentieke kerkbank, stond een biljart en nog iets verder naar links, in de doorgang naar de linkervleugel, was ook een tafeltennistafel opgezet.

Armando liep maar meteen door, voorbij de tafeltennis naar de daarachter gelegen bar, die in dezelfde stijl was opgezet als de balie bij de entree, en bestelde voor zichzelf een Cointreau.

De barkeeper schonk hem een bedenkelijke blik, maar besloot blijkbaar dat de klant koning was en vulde een glaasje met de gevraagde drank voor hem.

Met het drankje in de hand liep Armando voorbij de smalle hoge tafel, waar een uitnodigend schaaltje nootjes klaarstond. Uiteraard nam hij een handvol en liep langs de lange bank met kerkachtig uiterlijk, de kaarsrechte rij strakke tafeltjes en de donkere kuipstoeltjes tegenover de lange bank naar de openstaande deur richting terras.

Het was hier nog niet zo druk. Een paar pakdragers maakten met verborgen nervositeit kennis met elkaar, terwijl ze nog braaf aan de koffie zaten. Slechts weinig mensen wilden een verkeerde indruk wekken door nu al de alcohol te bestellen waar ze op dat moment eigenlijk wel behoefte aan hadden.

Slechts bij één tafeltje zag hij bier- en wijnglazen staan. Maar de vier mensen aan dat tafeltje waren beslist niet hier voor het congres of wat er dan ook werd georganiseerd. Het waren overduidelijk vakantiegangers. Twee stevige dames met kort wit haar en wiebelende wangen kletsten luidruchtig met elkaar, terwijl de mannen met ruitjesbroeken tot op de knieën welwillend toekeken en van hun pilsje genoten.

Voorbij de deur naar het terras kon Armando een blik in het restaurant werpen.

Hij liep niet verder voor nader onderzoek. Hij betwijfelde of hij vaak in het restaurant zou eten. Veel liever trok hij het dorp in en proefde verse broodjes van de bakker of een bak patat met satésaus. Hij voelde zich zelden thuis in een deftig restaurant. Bovendien hield hij niet van liflafjes, die in menig eetgelegenheid nogal eens werden aangeboden.

Hij dronk zijn glaasje leeg, terwijl hij nog een poosje naar de mensen op het terras keek en keerde toen toch maar terug richting hal.

De groep congresbezoekers, die eerder als drukke mieren de hal bevolkten, waren verdwenen. Armando zag dat een nieuwe lading op weg was naar de entree en greep zijn kans om meteen naar de balie te lopen en zich daar te melden.

Een jonge man die hij eerder aan het werk had gezien in de zaal verderop, struikelde bijna over Armando's bruine koffer en wierp de receptioniste een wat verstoorde blik toe. "Van wie is dat ding? Hij staat hier al een poos."

"Van mij," antwoordde Armando, voordat de receptioniste kon reageren.

"Oh." De jonge man bekeek Armando van top tot teen. Armando zag dat hij dat eigenlijk niet wilde doen, omdat het niet beleefd was, maar het overkwam hem min of meer. Net als de zuinige trek rond zijn mond. "Ik zag u daarstraks niet en de koffer stond toen al hier. Daarom dacht ik dat iemand hem wellicht was vergeten." Hij deed erg zijn best om een verontschuldigende toon in zijn stem te leggen, maar slaagde daar niet helemaal in. Ongetwijfeld vroeg hij zich af wat iemand als Armando in 'zijn' hotel deed.

"Het was nogal druk, dus heb ik even rondgekeken en een likeurtje naar binnen gewerkt," antwoordde Armando met een brede grijns. "Ik heb tenslotte vakantie. En ik geloof niet dat iemand er met mijn koffer vandoor gaat."

"Eh… nee, meneer. Dat is niet waarschijnlijk." De jonge man maakte zich haastig uit de voeten, omdat hij verder weinig meer te melden had en omdat hij in geen geval per ongeluk een onbeleefde opmerking wilde plaatsen. Hij vond het waarschijnlijk al gênant genoeg dat hij die iets spottende toon in zijn antwoord niet helemaal had kunnen verbergen.

Armando richtte zijn aandacht weer op de receptioniste – een frisse meid, vond hij – die inmiddels zijn gegevens had gevonden.

"U bent de schilder," reageerde ze half verrast.

Armando knikte. "Het verblijf hier is mij aangeboden met het oog op de expositie, die hier over een tijdje wordt gehouden. Ik geloof niet dat ik zelf hiervoor zou hebben gekozen, hoewel ik eerlijk moet bekennen dat het me tot dusver heel goed bevalt."

De receptioniste glimlachte vriendelijk. "Fijn dat het goed bevalt," zei ze.

"Spookt het hier?" vroeg Armando speels.

Het meisje achter de balie giechelde even. "Niet voor zover ik weet."

"Jammer." Hij schonk haar een nieuwe grijns, tekende het formulier dat ze hem voorhield en nam de sleutel van zijn kamer in ontvangst.

"Een aangenaam verblijf," gunde de jonge meid hem.

"Dat is wel de bedoeling," antwoordde hij. Met een zwierig gebaar pakte hij zijn koffer op en liep door de dubbele deur de binnentuin in en via de gewelfde breviergang met zijn grote bogen en bakstenen pilaren naar de deur die weer het hotel in leidde. Ondertussen keek hij naar het terras in de binnentuin, links van hem, waar de tafeltjes op orde werden gebracht voor de zakelijke gasten.

Armando weerstond de neiging om de gang links in te lopen, toen hij weer naar binnen ging. Hij vond dat hij beter eerst zijn kamer kon zoeken. Hij had tenslotte nog meer dan genoeg tijd om het hotel te onderzoeken, de komende dagen. Eerst wilde hij zijn koffer kwijt.

Hij liep dus toch maar naar rechts, waar een stenen trap hem naar boven leidde.

Hij wist vrijwel zeker dat de trap er altijd zo uit had gezien. Het was precies de trap zoals hij zich die voorstelde in internaten en ouderwetse scholen. Strak en steil – maar niet gevaarlijk steil – met op ieder platform kleine geelachtige tegeltjes, omringd met een rand van rode tegeltjes.

Het trappenhuis was net zo strak als de rest en hij stelde zich voor hoe opgeschoten knaapjes naar boven of naar beneden renden en hoe de jongens, die helemaal boven waren, over de houten leuning keken, naar de achterblijvers die de klim nog voor zich hadden, misschien plagende opmerkingen roepend of gewoon nieuwsgierig, of lachend.

Armando moest op de tweede verdieping zijn, waar een lange rechte gang zich voor hem uitstrekte. Ook hierin herkende hij de dagen van toen. De gang was hoog, overspannen met balk-jes, met daarboven een rits raampjes die voor het licht zorgden. Lichtbeige vloerbedekking en deuren en gladde witte muren, uitlopend in witte plafonds, benadrukten de ruimtelijkheid van de gang. Hier en daar was tegen de muur een attribuut van de kerk opgesteld, zoals een knielbankje of een kerkbank. Juist door de lichtheid van de gang werd de nadruk op de donkere houten accessoires gevestigd.

Armando geloofde dat hij van de persoon hield die de inrich-ting hier had verzorgd. Ondanks de moderne uitstraling be-stond er geen twijfel over de geschiedenis van het bouwwerk. Hij hield er niet van als geschiedenis van een gebouw over-boord werd gegooid. Dat voelde als een schending van een rijk verleden.

Hij wandelde zijn kamer binnen, ook al strak en licht, gooide zijn koffer in een hoek van de kamer en plofte op bed neer.

Hij sloot zijn ogen en liet de eerste indrukken goed tot zich doordringen. Heel even dacht hij aan de mensen die het hotel vandaag massaal betrokken vanwege de zakelijke bijeenkomst die blijkbaar voor hen was georganiseerd.

Hij realiseerde zich dat hij dergelijke mensen niet bijzonder mocht. Maar misschien was hij bevooroordeeld. En als dat zo was, dan had dat alles te maken met Hannah Verbaan.

HOOFDSTUK 3

Moet ik nu naar hem toe gaan of hier in mijn kamer wachten, vroeg Mindy zich nerveus af. Het uur was inmiddels verstreken en ze was klaar voor een kop koffie op het terras met haar baas.

Hij had niet gezegd dat hij haar kwam ophalen – wat wellicht ook een beetje belachelijk zou hebben geklonken, aangezien hij slechts twee deuren verderop een kamer had betrokken – en hij had ook niet voorgesteld om elkaar in de gang, hal of het café te treffen. Hij had haar alleen gevraagd of ze samen een kop koffie zouden nemen en zij had de uitnodiging uiteraard aangenomen.

Maar details waren niet uitgewisseld en ze voelde zich tamelijk onnozel dat ze zich nu zo druk maakte over de verwachting die hij van haar had. Typisch iets voor haar.

Ze vroeg zich af wat Femke en Imke in een dergelijke situatie zouden doen. Eén ding was zeker: geen van haar twee zussen zou met dezelfde twijfel kampen als zij. Ze zouden gewoon het juiste doen.

Toen er op haar deur werd geklopt, schrok ze zowaar. Blijkbaar was ze ook nog een beetje paranoïde. Ze haalde diep adem en riep: "Binnen."

Maar misschien was het de bedoeling dat ze de gang op liep? De deur schoof open.

Wat bezorgd keek ze naar haar bed. 'Binnen' zeggen, was waarschijnlijk een stomme zet geweest. Kon ze haar baas wel zomaar binnen vragen? Wekte ze dan niet de verkeerde indruk? Toegegeven… ze zou best wel een beschuitje met hem willen eten, om het maar eens zo uit te drukken. Maar niet alleen vanwege dat beschuitje.

Ron liep de kamer al binnen voordat ze van gedachten kon veranderen of toch maar naar buiten kon rennen, en natuurlijk kleurde ze weer.

"Klaar?" vroeg Ron. Hij klonk als altijd. De blik waarmee hij de kamer inspecteerde drukte slechts nieuwsgierigheid uit. Niets anders.

Mindy knikte haastig en liep richting deur.

Ze verlieten de kamer, namen de stenen trap naar beneden en liepen voorbij de glazen deur die toegang tot de kapel bood, door de gang met deuren en kleurige bordjes met teksten, naar de hal van het hotel.

De computerhoek, die recht voor hen lag toen ze de hal binnenliepen, zag Mindy nu pas. Misschien omdat het enigszins afgescheiden was van de rest van de hal. Misschien ook omdat ze op dat moment zoveel andere indrukken had opgedaan. Misschien zou ze later een mailtje naar haar moeder kunnen sturen over het seminar, zoals haar zussen vaak mailtjes stuurden over allerlei belangrijke zaken en bijeenkomsten, die ze dan zo gewoontjes lieten klinken.

Maar niet nu.

Ze wierp er nu slechts een haastige blik op en volgde Ron door de hal, langs de lange tafel, voorbij de zaal waar ze over ongeveer een uurtje werden verwacht voor een welkomstwoord, en door het recreatiegedeelte met zijn voetbalspel, biljart en tafeltennis, tot aan de bar.

"Koffie?" vroeg Ron.

Mindy knikte. Eigenlijk had ze liever thee, maar thee stond een beetje tuttig vond ze. Koffie dus.

Ron bestelde koffie en droeg galant haar koffie en die van hemzelf door de openstaande deuren naar buiten, waar ze ergens in het midden nog een tafeltje vonden dat vrij was.

Ze waren bepaald niet de enigen die op het idee waren gekomen om hier een kop koffie te drinken voordat het seminar officieel van start ging. Mindy zag heel wat mensen strak in het pak aan de tafeltjes zitten. Een aantal van hen herkende ze van gezicht. Ze wist niet meer wie van hen ze ooit in het echt had ontmoet en wie ze slechts van foto's kende. Zekerheidshalve knikte ze maar vriendelijk tegen iedereen die haar bekend voorkwam en zelfs tegen de mensen bij wie ze twijfelden. Ze wilde in geen geval onbeleefd zijn.

Ze vroeg zich af of Fynn Virtanen zich ergens onder hen bevond. Fynn was de grote baas van Fynn Laitteet. Fynn Inrichting betekende Fynn Laitteet volgens Ron. Het exotisch klinkende Laitteet was volgens hem Fins voor inrichting. Het klonk logisch. Fynn was tenslotte een Fin.

Er deden geruchten de ronde dat Fynn zelf bij dit seminar aanwezig zou zijn, maar niemand wist dat met honderd procent zekerheid. Fynn was een man die niet graag naar voren trad. Hij hield evenmin van foto's, want die waren er ook al niet van hem te vinden. Hij stond bekend als een zonderlinge man, die een teruggetrokken leven leidde. Maar vanuit zijn eigen stek had hij een waar imperium gecreëerd.

Een paar mensen beweerden dat zijn gezicht mismaakt was en dat hij zich daarom nooit liet zien. Maar volgens Ron was dat vergezocht en zag de nuchtere zakenman er gewoon het nut niet van in om overal te verschijnen of foto's te laten nemen. Ook zonder in de publiciteit te treden, had Fynn zijn bedrijf tot een succes gemaakt. Hij had het gewoon niet nodig.

Mindy ging ervan uit dat Ron gelijk had. Eigenlijk ging ze er altijd van uit dat hij het wel wist. Dat was een van de redenen waarom ze tegen hem opkeek. En verliefd was.

Maar ze kon niet ontkennen dat ze toch nieuwsgierig was naar Fynn. Al zei ze dat niet. Ze was bang dat dat kinderachtig was.

Mindy deed geen melk en suiker in de koffie. En natuurlijk at ze het koekje niet op, ook al moest ze eerlijk bekennen – uiteraard weer niet hardop – dat de verleiding wel erg groot was. Zowel voor melk en suiker, als voor het koekje. Vooral het koekje.

Maar ze was al wat pondjes te zwaar en ze wilde nu eenmaal niet de indruk wekken een veelvraat te zijn.

Dus wierp ze suiker, melk en koekje slechts een hautaine blik toe, alvorens het demonstratief van zich af te schuiven.

Ron gebruikte uiteraard wel melk en suiker. Mannen konden dat doen, zonder dat iemand zich afvroeg of ze wel op hun gewicht letten. Ron at zelfs het koekje.

Tot Mindy's schaamte voelde ze een klein beetje water in haar mond lopen.

Mensen *dachten* niet alleen dat ze een veelvraat was als ze toch suiker, melk en een koekje gebruikte… ze wisten het dan met zekerheid. Want normale mensen kregen geen water in de mond bij de aanblik van een simpel koffiekoekje.

Dat ze daaruit de conclusie moest trekken dat ze wellicht niet helemaal normaal was, stoorde haar toch een klein beetje. Zelfs als ze altijd al dat vermoeden had gehad. Maar ze troostte zich met de gedachte dat daaraan werd gewerkt.

"Ik vind het fijn dat je met mij hierheen kwam," bekende Ron. Hij keek haar recht aan.

"Ik vind het prettig dat ik deze kans krijg," zei Mindy. "Het geeft mij de mogelijkheid om nog meer over ons bedrijf aan de weet te komen en inzicht te krijgen in de bedrijfsvoering. En je weet hoe waanzinnig mij dat interesseert."

"Dat weet ik. Dat is een van de dingen die ik in je waardeer."

Een van de dingen, zei hij. Mindy vroeg zich af wat hij nog meer in haar waardeerde. Ze ging er zowaar wat rechter voor zitten.

"Je hebt hart voor de zaak en je gaat er helemaal voor," ging Ron verder. "Ik heb je nooit horen mopperen als je weer eens langer moest werken. En laten we eerlijk zijn… dat komt vaker voor dan de keren dat je op tijd naar huis kunt."

"Misschien omdat ik het niet erg vind," zei Mindy.

Dat was niet helemaal waar. Ze baalde er beslist regelmatig van als het weer eens veel te laat werd, maar dat nam ze zichzelf kwalijk. Alleen al daarom gaf ze die weerstand tegen overwerk niet eens tegenover zichzelf toe. Laat staan tegenover anderen. Voor niets ging de zon op, zeiden haar ouders vroeger altijd. En daarop doelden ze destijds op al die dagen waarop werk vóór de kinderen ging – en dat waren er heel wat – en op het onvoorstelbare drukke leven van haar zussen, die ook al nooit ergens tijd voor hadden.

"Ik weet dat je het niet erg vindt," zei Ron. Hij wist tenslotte niet beter. "Je bent gewoon anders dan de anderen. De anderen doen hun werk van acht tot vijf en zijn blij als ze naar huis kunnen gaan om met het gezinnetje te eten en naar een of ander clubje te gaan. Hun goed recht natuurlijk, maar ze begrijpen niet dat er mensen zijn voor wie het bedrijf meer betekent dan alleen werk. Jij begrijpt dat wel. Dat is natuurlijk al een belangrijke reden waarom ik je straks graag op mijn plek zie, als ik de mogelijkheid krijg om door te stromen. Uiteraard naast de capaciteit die je voor die functie hebt."

"Natuurlijk krijg je die mogelijkheid," zei Mindy vol overtuiging. Tegelijkertijd voelde ze een nare steek in haar maag. Niet alleen omdat ze toch nog regelmatig eraan twijfelde of ze wel geschikt was voor de functie van manager, die nu door Ron werd uitgeoefend, maar vooral omdat een promotie van Ron betekende dat ze hem minder zag. Natuurlijk bleef hij dan evengoed haar baas, omdat hij na een promotie de scepter zwaaide over de managers van alle bedrijven in het land – en dus ook over haar. Maar de dagelijkse ontmoetingen, de korte gesprekjes in de pauzes en de sporadische ontspannen momenten buiten in de zon zouden dan verdwijnen.

Aan de andere kant… ze zou wel des te meer zijn gelijke zijn. Dat zou dan weer voordelen opleveren.

Ron glimlachte. "Fijn om iemand tegenover me te hebben die zoveel vertrouwen in mij heeft."

"Ik weet wat je kan en waar je voor staat," zei Mindy.

Ron knikte. "Ik weet dat ik geschikt ben voor die functie. En dat weten meer mensen. Het is alleen…" Hij maakte de zin niet af.

"Je krijgt die functie ook. Daarvan ben ik overtuigd. Iedereen heeft het daarover. Ik geloof niet dat je werkelijk een serieuze concurrent hebt. Maar zelfs als dat zo zou zijn, dan zou je nog met vlag en wimpel in je missie slagen. Je hoort gewoon thuis op die plek."

Rons gezicht kreeg een zorgelijke trek. "Daar ben ik niet zo zeker van," zei hij.

"Kom op, Ron. Wie wil en kan die taak uitvoeren? Je hebt al zoveel gedaan om ons bedrijf het succes te bezorgen waar we nu zo goed op draaien en je bent de afgelopen jaren meer dan eens binnen andere bedrijven als interim manager opgetreden, als daar problemen ontstonden. Alles wat je in handen kreeg, veranderde in goud. Dat weet je en dat weet de grote baas. En aangezien Lou Verhaagh met pensioen gaat…"

Ron knikte, maar hij miste de overtuiging die anders zo gewoon voor hem was.

Mindy nam een klein slokje zwarte, bittere koffie.

"Aan het genieten van de zon?" hoorde ze opeens een vrouwenstem achter zich.

Ze zag Ron verstarren en draaide zich om naar de vrouw die de opmerking had geplaatst. Mindy kende haar van een paar foto's, maar had haar nooit in werkelijkheid gezien. Ze was lang en veel te mager, naar Mindy's oordeel. Misschien voldeed ze wel aan het ideaal van de huidige modellen en mannequins, maar Mindy gaf er de voorkeur aan om het woord 'mager' in gedachten te gebruiken.

De vrouw had ongelooflijk lange benen en droeg een mantelpakje, dat haar als gegoten zat. Aan haar voeten prijkten zwart glanzende pumps met gevaarlijk hoge hakken, van een ongetwijfeld duur merk. De parfum die ze had gebruikt, hing als een zweverige mistsliert om haar heen; slechts subtiel aanwezig. Ze was blond.

Alle knappe succesvolle vrouwen waren blond, volgens Mindy. Ze was zelf ook blond, maar haar haren neigden meer naar een askleur en misten de allure van de blonde haren van een echte zakenvrouw.

"Hannah," zei Ron. Hij kende haar dus ook. En waarschijnlijk niet alleen van foto's.

"Wie is dit? Je secretaresse? Neem je die tegenwoordig mee op reis? Beetje cliché, nietwaar?" Ze ging ongenodigd aan het tafeltje zitten en bekeek Mindy met lichte spot.

Mindy voelde zich beledigd, vooral vanwege de suggestie die Hannah had gedaan. Ze wilde niets liever dan een gevat antwoord geven. Maar gevatte antwoorden kwamen altijd alleen in haar op als ze een gesprek in gedachten voerde. Nooit als er eentje werkelijk plaatsvond en gevatheid haar van een ondergang moest redden.

"Mindy Mees is mijn assistente," maakte Ron duidelijk. "Een

veelbelovende assistente met een goede kans op promotie."

Hij verdedigt me, dacht Mindy. Tegenover *haar*. Ze keek Ron een beetje verbaasd aan.

Hannah glimlachte op een koele, wat uitdagende manier, toen ze Mindy weer aankeek. "Aha, de assistente van Ron. Ik neem aan dat je hem op meerdere gebieden assisteert?"

"Hannah, hou alsjeblieft op met die onnozele insinuaties van je," reageerde Ron geprikkeld.

"Zijn het werkelijk insinuaties? Aangezien je je assistente blijkbaar op handen draagt en haar meeneemt hierheen?"

"Mindy zal uiteindelijk mijn taak als manager overnemen," maakte Ron duidelijk. "Ze is hier dus met een reden."

"Aha. Je verwacht dus een promotie?"

"Ik sluit het zeker niet uit."

"Je staat inderdaad hoog op de ranglijst om het over te nemen van Lou," gaf Hannah toe. "Ik moet toegeven dat je je aardig hebt weten op te werken. Ik weet niet precies hoe ver je daarvoor bent gegaan…"

"Ik heb mijn werk goed gedaan. In tegenstelling tot sommige anderen, die heel wat verder gaan voor een promotie."

Er bestond geen enkele twijfel over de aard van die opmerking, maar Hannah reageerde niet beledigd. Ze lachte slechts even. "Jaloers?"

"Geen schijn van kans."

"Hm. Dat zou misschien toch niet onverstandig zijn. Ik maak namelijk aanmerkelijk meer kans om het van Lou over te nemen dan jij." Ze trok even haar wenkbrauwen op, in een triom-

fantelijk gebaar. "Het helpt soms om de juiste mensen te paai-
en."

"Helpt het werkelijk of laten ze je dat denken, opdat ze hun
gang kunnen gaan met jou?"

"Foei, Ron. Dat is geen nette aantijging." Ze stond op en keek
hem even aan. "Ik vergeef het je voor deze keer. Maar laat het
niet meer voorkomen als ik je baas ben." Ze draaide zich op
haar dure pumps om en liep heupwiegend weg.

Ron keek haar even na, zuchtte toen diep en dronk zijn koffie
op.

"Hannah Verbaan?" vroeg Mindy.

Ron knikte.

Mindy had over Hannah gehoord. Waarschijnlijk kende iedereen binnen de organisatie haar naam en haar foto's. Er werd
niet zelden gezegd dat ze een kreng was, maar dat ging meestal
gepaard met toch ook wat bewondering, omdat ze ambitieus
was en de potentie had om het ver te schoppen. Mindy mocht
haar in ieder geval niet.

"Ik neem aan dat je op zakelijk gebied met haar te maken hebt
gehad?"

"Zullen we iets sterkers nemen? Een glas wijn of zo?"

Mindy twijfelde. Ze werd altijd loom van een glas wijn voor
het avondeten. Maar eigenlijk kon ze wel iets sterks gebruiken.
Daarom knikte ze toch maar.

"Goed." Ron stond abrupt op en liep met grote passen de bar
binnen. Zijn hele houding drukte ergernis uit.

Mindy begreep dat hij Hannah niet mocht, maar hij mocht wel

meer mensen niet. Dit was echter de eerste keer waarbij het zo goed zichtbaar was. De eerste keer waarbij hij werkelijk aangedaan leek. Ze vroeg zich af waarom Hannah zoveel beter in staat was om Ron te raken dan ieder ander en dacht aan de vraag die ze hem had gesteld en waarop ze geen antwoord had gekregen.

Een paar tellen speelde ze met de gedachte de vraag nog een keer te stellen, maar besloot dat ze dat beter niet kon doen. Hannah scheen bepaald geen prettige herinneringen op te roepen en het was wellicht geen goed idee om haar dan toch tot onderwerp van de intieme gesprekken tussen haar en Ron te maken. Ze nam aan dat Ron zelf wel over haar zou beginnen als hij daar werkelijk de behoefte toe voelde.

Ze zag hem weer naar buiten komen, met twee wijnglazen in zijn hand. Hij leek weer iets meer ontspannen, maar niet volledig. Hij zette de glazen met een iets te harde klap op de tafel, waardoor spetters in het rond vlogen en er uitgerekend twee op de blouse van Mindy terechtkwamen.

Ze week in een reflex achteruit, natuurlijk net iets te laat.

"Oh Mindy, sorry! Het spijt me."

"Het maakt niet uit," loog Mindy. Waarom overkwam uitgerekend haar zoiets?

"Natuurlijk maakt het uit," bracht Ron ertegen in. "Ik betaal de stomerij wel. Of een nieuwe bloes."

"Onzin."

"Geen onzin. Ik maak het goed met je. Ik had gewoon beter moeten uitkijken."

"Ik trek dadelijk gewoon een andere bloes aan en dan komt het wel goed," verzekerde Mindy hem. Ze merkte zelf dat ze een verontschuldigende klank in haar stem had en dat verbaasde haar een beetje. Zij had tenslotte, bij wijze van uitzondering, nu eens géén blunder geslagen.

Misschien had ze van nature die verontschuldigende klank in haar stem. Als dat zo was, moest ze daar verandering in brengen. Als ze werkelijk manager werd, kon ze zich een dergelijke klank in haar stem niet veroorloven. Niemand nam een manager serieus als deze zich altijd leek te verontschuldigen.

Bij de gedachte om manager te worden, voelde ze haar maag als een ballonnetje opzwellen en weer in elkaar klappen. Ze was blijkbaar nog niet helemaal aan het idee gewend. Hoe onnozel van haar.

Haastig pakte ze haar glas wijn op en nam een paar slokjes. Ze moest erop letten dat ze niet te gulzig overkwam. Rode wijn dronk je nu eenmaal niet als limonade. Zelfs niet als de verleiding erg groot was.

Ron leek zich aan die regel niet te storen. Hij dronk in een keer een half glas leeg. Maar ja... Ron was een man. Mannen konden zich dat permitteren. Zeker mannen als Ron. Zulke mannen konden zich bijna alles permitteren.

"Het is prettig om je hier te hebben," zei Ron. "Maar volgens mij zei ik dat al."

Mindy knikte. Ook al vond ze dat hij het niet vaak genoeg kon zeggen.

"Ik heb het gevoel dat ik mezelf kan zijn bij je. Je bent gezellig om mee te praten en je begrijpt hoe ik in elkaar zit." Hij keek haar onderzoekend aan.

Mindy staarde slechts een beetje verbijsterd terug. Meende hij dit werkelijk? Insinueerde hij nu werkelijk dat hij haar mocht? Dat hij haar mocht op een andere manier dan alleen als zijn assistente? Of verzon ze dat laatste er nu maar bij?

"Misschien wilde ik daarom ook dat je mee hierheen kwam. Niet alleen als mijn assistente en als iemand die meer over bedrijfsvoering moet weten vanwege een op handen zijnde promotie, maar ook gewoon als iemand met wie ik graag te maken heb."

Mindy kleurde. Ze had natuurlijk geen spiegel bij de hand, maar ze voelde haar wangen warm worden. Ze hoopte dat Ron het niet zag.

"Ik hoop dat je het niet vervelend vindt dat ik dat ronduit zeg. Dan moet je daar gewoon eerlijk voor uitkomen," ging Ron verder.

"Eh, nee. Nee, ik vind het niet vervelend."

Ben je verliefd op mij, vroeg ze hem in gedachten. Het leek absurd. Maar hoe moest ze anders zijn bekentenis vertalen?

"Goed. Ik wil je namelijk graag beter leren kennen. Anders dan alleen in een werksituatie. Nu zijn we hier ook voor ons werk, maar dit is toch niet hetzelfde als onze samenwerking op de zaak met de adem van collega's in onze nek. Ik hoop eigenlijk dat we nu ruim de gelegenheid krijgen om met elkaar op te trekken en elkaar beter te leren kennen buiten het werk om, als je dat tenminste wilt."

Mindy's mond viel open. Ze had graag iets intelligents willen zeggen, waaruit bleek dat ze niets liever wilde. Maar er kwam nooit geluid uit haar mond op de momenten waarop ze dat het hardste nodig had. Ze kon het nog net opbrengen om een beetje te knikken. Maar dat was ook alles.

Ze nam maar snel nog wat slokjes wijn en verontschuldigde zich toen haastig omdat ze nog een nieuwe bloes moest aantrekken voordat de bijeenkomst in de Wim van Deursen-zaal zou plaatsvinden; de zaal waar ze eerder voorbij waren gelopen.

Ze liet Ron achter op het terras en voelde zich schuldig daarover nog voordat ze goed en wel het hotel weer was binnengelopen. Misschien vatte hij het op als een afwijzing. Hoewel het belachelijk was om te denken dat hij bang was voor een afwijzing van haar kant. Niet alleen omdat hij 'een ware vangst' was, zoals hij ongetwijfeld genoemd kon worden, maar ook omdat hij wist dat zij hem graag mocht. Haar bijna puberale adoratie kon hem natuurlijk nauwelijks zijn ontgaan.

Op weg naar haar kamer vroeg ze zich af of ze zich niet van alles in haar hoofd haalde. Misschien vertaalde ze zijn woorden helemaal verkeerd en dacht ze onterecht dat hij meer in haar zag dan slechts de assistente die ze was. Het leek zelfs erg waarschijnlijk dat haar verbeelding een grote rol speelde. Maar tegelijkertijd besefte ze dat hij haar werkelijk mocht. Hij had het nota bene duidelijk gezegd.

Maar ook tijdens werktijden hadden ze een leuk, gemoedelijk contact en het kwam meer dan eens voor dat hij bewust haar gezelschap opzocht. Kon het dan werkelijk zo zijn dat hij toch meer voor haar voelde? Dat de gevoelens wederzijds waren?

Mindy kreeg het gewoon warm bij die gedachte.

Ze ving maar een glimp op van de jonge man die haar in de gang passeerde. Misschien had ze hem helemaal niet opgemerkt als het niet vanwege zijn rossige haar met dat malle bolhoedje was geweest en vanwege de versleten jeans tuinbroek die hij zo misplaatst hier droeg.

Maar ze merkte hem dus *wel* op – zij het slechts beperkt – en kon niet voorkomen dat hij een glimlach aan haar ontlokte. Maar hij was iemand aan wie ze verder geen aandacht besteedde. Ze nam aan dat hij in het hotel als schoonmaker of tuinman of iets dergelijks werkte. Grappig dat een hotel als dit zulke figuren aannam.

Haar gedachten gleden meteen weer terug naar Ron.

Ze voelde een aangename spanning. De komende dagen kon haar hele leven wel eens veranderen. De komende dagen bracht ze met Ron door en zouden de gevoelens, die tot dusver net onder de oppervlakte hadden geborreld, wellicht aan de oppervlakte komen. En ze zou promotie kunnen maken. Ze zou dan eindelijk kunnen laten zien wie ze werkelijk was; een succesvolle vrouw met een succesvolle vriend.

En daarmee was ze dan niet meer het domme gansje van de familie. Hoewel het daar natuurlijk niet om ging.

Ze opende de deur van de hotelkamer en besloot dat haar fantasie weer op hol was geslagen. De bijna ongemerkt verschenen glimlach op haar gezicht verdween weer. Waarom was ze toch zo'n onnozel kind? Terwijl ze de bevlekte bloes uittrok, wat hotelzeep op de vlekken smeerde, hem in de wastafel legde en er water overheen liet lopen, nam ze zich voor om nuchter te blijven. Ze trok een andere bloes aan, maar constateerde dat het warme gevoel, dat haar nog maar kort tevoren was overvallen, toch aanwezig bleef. Ondanks haar voornemen nuchter te blijven.

Toen ze een paar harde klappen in de gang hoorde, schrok ze. Ze dacht er nog maar net aan de laatste knoopjes van haar bloesje dicht te knopen, alvorens ze een kijkje nam. Het bleek de blonde jongen die ze eerder in de hal voorbij had zien rennen. Nu maakte hij zich met een stuiterende bal haastig uit de voeten. Misschien had hij iets gesloopt met die bal.

Mindy keek even naar de spaarzame meubels die als stille getuigen uit vergane tijden tegen de muren leunden. Alles leek nog in oude staat. Misschien had de knaap de rommel die hij had gemaakt meteen opgeruimd, hoewel dat onwaarschijnlijk leek in die korte tijd. Misschien was er ook gewoon niets gebeurd.

Heel even meende ze een flits op te vangen van een andere knaap, die voorbij de deur rende, waar de blonde door was verdwenen.

Sommige ouders hielden hun kinderen niet in toom, dacht Mindy.

Haar ouders hadden haar vroeger wel degelijk in toom gehouden. Nou ja, ze hadden het in ieder geval geprobeerd. Ze hadden de modderbaden en haar kleine uitvluchtjes naar de boerderij van Fien niet kunnen voorkomen, maar ze hadden strak de hand gehouden aan haar gedrag als ze ergens heen gingen. Iets wat overigens niet al te vaak was voorgekomen. Zelfs toen ze al de puberleeftijd had bereikt.

Mindy ging haar kamer weer binnen om nog een laatste keer haar make-up bij te werken. Waarom droegen vrouwen altijd make-up, vroeg ze zich af. Wie had het in hemelsnaam uitgevonden? Die troep bleef nooit zitten als bedoeld.

Armando was met soepele stappen de trap afgedaald. Hij dacht nog even aan de jonge vrouw die hij in de gang had gezien. Ze had eigenlijk in niets geleken op de vrouwen die de koele zakelijke houding ergens in hun leven definitief hadden aangenomen en tot een tweede natuur hadden gemaakt. Ze had natuurlijk zogenaamde nette kleding gedragen, maar op de een of andere manier had het geleken alsof ze er niet in thuishoorde.

Hij vroeg zich af of ze een deelneemster van het congres of seminar was – of wat het dan ook was wat er nu werd gehouden – of dat ze het hotel als vakantieganger bezocht.

Wat hem betrof was beide mogelijk.

Hij besteedde er verder niet al te veel gedachten aan en liep naar de gang die naar de receptie leidde, toen hij de glazen deur met daarachter de gang naar de kapel zag.

Hij bleef staan met zijn neus bijna tegen het glas gedrukt.

De donker ogende gang was uit bakstenen opgetrokken en ontworpen met klassieke bogen en gewelfde plafonds. Rechts zorgden de halfronde ramen voor toch enige lichtinval. Links stonden kerkbanken tegen de muur opgesteld. Een zware eiken deur maakte het onmogelijk om de kapel te zien.

Achter Armando leek het beeld van St. Willibrord over zijn schouders mee te kijken, terwijl hij voorzichtig probeerde of de glazen deur openging. Maar de deur was gesloten en toegang niet mogelijk. Het speet Armando, maar hij nam aan dat de mogelijkheid om ook dat deel van het voormalige klooster te zien zich nog wel voor zou doen.

Hij liep door de gang met de kamers aan de linkerkant en de ramen die uitkeken op de Breviergang en de binnentuin aan de rechterkant, richting receptie. Het meisje achter de balie hielp een ouder echtpaar, terwijl Armando via de hoofdingang naar buiten liep, regelrecht de zon in.

Het was nog steeds erg aangenaam buiten en hij overwoog zelfs even om te voet het dorp te bezoeken. Maar aangezien hij geen zin had in een lange wandeling en hij geen idee had hoe ver het tot het centrum was, besloot hij uiteindelijk toch zijn groene Kever te nemen.

Terwijl hij naar de parkeerplaats liep, wierp hij nog een korte blik op het terras.

Het leek erop dat de vele gasten in pak zich stilaan naar binnen bewogen. Armando nam aan dat de bijeenkomst snel genoeg officieel werd geopend.

Bij het bekijken van de stevig in pak gestoken mannen en de

vrouwen in stijl op hun ongemakkelijke hakjes, dacht hij toch weer aan Hannah.

En dat terwijl Hannah wel de laatste was aan wie hij op een mooie dag als deze wilde denken.

HOOFDSTUK 4

Lou Verhaagh was verantwoordelijk voor het welkomstwoord in de Wim van Deursen-zaal. Lou was de man die zijn vleugels over ieder Fynn Laitteet-bedrijf in Nederland had uitgespreid, het voorbereidende werk voor het seminar voor zijn rekening had genomen en gastheer was voor de bedrijfsvoerders van Fynn Laitteet-bedrijven uit alle andere landen.

Lou voerde het woord met het gemak waarmee iemand anders een persoonlijk gesprekje voerde en hij voegde er hier en daar een grapje in, om de toch ietwat gespannen sfeer te verzachten. Pas toen de zakenmensen in de zaal hun schouders definitief hadden laten zakken en de informele houding van bezoekers tijdens een receptie hadden aangenomen, kwam Lou met de mededeling dat bij wijze van uitzondering Fynn zelf op dit seminar zou verschijnen. Het bericht zorgde voor een onmiddellijk geroezemoes aan speculaties en voorstellingen.

"Mijn op handen zijnde pensioen is een van de redenen dat hijzelf hier aanwezig wil zijn," zei Lou. "Nu zou ik graag beweren dat het met mij persoonlijk te maken heeft, maar ik denk eerlijk gezegd dat hij graag wil weten wie de scepter van mij gaat overnemen. In de regel houdt hij zich ook daarbij achter de schermen, maar het ziet ernaar uit dat hij dit keer een uitzondering zal maken."

Hij noemde geen reden voor die uitzondering, maar iedereen wist dat de overname van het management van de bedrijven in Frankrijk geen succes was geweest. Personeelszaken van het management in Frankrijk en het hoofdkantoor in Finland hadden een verkeerde inschatting gemaakt en dat had een paar bedrijven in Frankrijk bijna de kop gekost. Dat was mogelijk – wellicht zelfs waarschijnlijk – de reden waarom Fynn dit keer zelf de kandidaten voor de functie wilde beoordelen.

"Maar er is meer aan de hand," ging Lou echter verder. "Meneer Fynn is vastbesloten een aantal veranderingen door te voeren, die tot een verbeterde verkoop moeten leiden. Hij wil die wijzigingen persoonlijk overbrengen."

Weer welde een onrustig geroezemoes op. Veranderingen betekende vaak geen verbetering voor het personeel. Ieder van hen was bekend met de beruchte reorganisaties binnen bedrijven, die altijd koppen kostten. Dat Fynn Laitteet financieel zeer gezond was, zorgde niet voor voldoende geruststelling.

"Ik kan jullie niet beloven dat de heer Fynn zijn opwachting vanavond al zal maken. Wegens omstandigheden kon hij zijn aankomst niet inschatten. Maar hij zal morgenmiddag zeker deelnemen aan de lezing over de huidige structuren binnen onze organisatie en het hoe en waarom daarvan, en vervolgens daarop ingaan met de veranderingen die hij in gedachten heeft."

Mensen knikten instemmend. De ongerustheid was niet van de gezichten verdwenen.

"Ik wil voor nu echter voorstellen dat we elkaar eerst een beetje beter leren kennen onder het genot van een drankje. Over een uurtje kunt u gebruikmaken van een lopend buffet en daarna wellicht nog een borreltje tot in de late uurtjes. Morgen gaat het seminar officieel van start."

Met die woorden sloot Lou zijn speech af.

"Ik hoop niet dat de reorganisatie personeelsleden gaat kosten," fluisterde Ron Mindy toe.

"Hij had het alleen over veranderingen," bracht Mindy hem in herinnering.

"Omdat reorganisatie een slechte naam heeft."

"Oh. Nou ja, ik denk niet dat jij je zorgen moet maken," zei Mindy. "Jou kunnen ze niet missen."

Hij glimlachte even naar haar. "Lief gezegd. Maar volgens mij kan iedereen gemist worden."

De woorden verontrustten Mindy een beetje – niet alleen vanwege Ron, maar ook vanwege haarzelf – maar ze deed haar best om het niet te laten merken.

"Zullen we een drankje nemen en ons in het sociale gepeupel storten?" vroeg Ron.

Mindy knikte. Ze had weinig behoefte aan socialisatie, maar dat kon ze natuurlijk niet ronduit zeggen. Het was een van de dingen die ze zichzelf eigen moest maken als ze werkelijk die promotie wilde, die op haar wachtte. Ze verborg al jaren de verlegenheid die haar in aanleg plaagde, maar dit seminar was de ultieme test. De mensen om haar heen leken zoveel belangrijker en intelligenter dan zij. Ze was toch al niet groot van stuk, maar had zich zelden zo klein gevoeld als nu, te midden van al die zakenmensen. Ze was alleen niet van plan om ook maar iets van haar twijfels te laten merken. Ze zou iedereen laten zien wat ze kon. Hoe dan ook. Dat nam ze zich dapper voor.

Ze pakte een glaasje jus d'orange van het dienblad, waarmee een ober op behendige wijze tussen de gasten van het seminar zijn slalom uitvoerde. Ron koos voor een wijntje, terwijl zijn blik over de mensenmassa gleed. Hij had slechts een paar minuten nodig totdat hij zonder enig spoor van twijfel naar een paar stevig in pak gestoken mannen liep en zich in hun gesprek mengde. Mindy weerstond de drang om hem haastig te volgen. Als ze wilde laten zien wat ze waard was – en dat wilde ze – zou ze ook moeten laten zien dat ze prima in staat was haar eigen contacten te leggen. Als toekomstig manager was dat een van de kwaliteiten die onontbeerlijk waren.

Ze probeerde dezelfde besluitvaardigheid als Ron aan de dag te leggen, toen ze naar een gemengd groepje gasten liep en het gesprek van de dag probeerde op te pikken.

De mannen en vrouwen in het groepje stoorden zich niet aan haar – wat al heel wat was – maar betrokken haar ook niet actief in het gesprek. Ze keken haar wel een paar keer aan als ze een bepaalde stelling deden, bijna alsof ze toch wilden laten zien dat ze haar aanwezigheid niet helemaal waren vergeten, maar Mindy slaagde er niet in de juiste reactie te geven. Ze knikte dan alleen maar een beetje of schudde haar hoofd, afhankelijk van de betreffende stellingen. Maar een intelligente opmerking kwam er niet uit. Als ze eerlijk was, wist ze soms niet eens waarover de anderen praatten. Hun taalgebruik kwam uit de vakliteratuur, alleen bestemd voor mensen met op zijn minst een academische graad binnen het vakgebied. Zij behoorde niet tot die mensen. Dat werd nu pijnlijk duidelijk.

De tijd sloop in een traag tempo voorbij, terwijl Mindy zich steeds meer een buitenstaander voelde. Het was niet zo dat de mensen haar negeerden of zelfs onbeleefd waren. Het was meer een gevoel van ongemak dat haar besloop en haar angst mensen lastig te vallen tijdens de belangrijke gesprekken die ze met elkaar voerden, als ze zich bij hen voegde. Ze voelde zich dan een indringer. Een dom gansje, dat groot wilde doen. Volledig onterecht waarschijnlijk, maar ze kon het niet helpen.

Af en toe wierp ze een korte blik op Ron – als ze hem tenminste tussen al die donkere pakken en neutraalkleurige mantelpakjes, jurkjes en setjes kon ontdekken – en meestal leek hij dat te voelen. Dan keek hij even naar haar en knipoogde.

Ze geloofde dat hij trots op haar was omdat ze liet zien dat ze een wereldse vrouw was die met iedereen een gesprek kon voeren, precies zoals je dat mocht verwachten van een toekomstig manager. Hij zag niet dat haar glimlach zo krampachtig was dat haar hele gezicht er pijn van deed, haar lijf in een soort spastische toestand leek te verkeren en ze over het algemeen geen flauw benul had van het besproken onderwerp, laat staan dat ze daar iets zinnigs aan kon toevoegen. En dat was maar goed ook.

Het was al wat later op de avond, na het eten, toen Mindy zag dat Ron zich bij een grote groep tamelijk luidruchtige zakenmensen had gevoegd, waar ook Hannah deel van uitmaakte. Dit keer merkte Ron haar blik niet op.

Het stak Mindy een beetje dat hij uitgerekend bij die groep stond vanwege Hannah. Tegelijkertijd vond ze dat erg kinderachtig van zichzelf. Niet alleen omdat Hannah heel erg goed puur toevallig deel uit kon maken van die groep, maar ook omdat zijzelf geen alleenrecht had op Ron. Zelfs niet als hij had laten blijken dat hij haar leuk vond.

Ze vond het ook kinderachtig van zichzelf dat ze zich afvroeg waarom hij geen antwoord had gegeven op de vraag die ze eerder op het terras had gesteld en dat ze daarom nog steeds niet wist waar hij Hannah zo goed van kende.

Ze had natuurlijk wel een vermoeden. Gezien zijn heftige reactie lag het voor de hand dat hij iets met de knappe blonde had gehad. Maar ze had geen zekerheid. Misschien was hun relatie zakelijk van aard. Maar als dat al het geval was, hadden zich zeker problemen voorgedaan. Anders had Ron niet op de wijze gereageerd waarop hij dat op het terras had gedaan. Maar wat die problemen ook inhielden... het was voor hem geen reden om haar werkelijk te ontwijken. Althans niet hier.

Mindy's gezicht voelde tegen die tijd aan als hard geworden oude kaas en ze had het gevoel dat haar mondhoeken zouden openbarsten als ze nog langer die kunstmatige grijns intact moest houden. Haar voeten deden pijn van de charmante, maar ongemakkelijke schoenen en de band van haar linnen broek drukte in haar maag.

Ze had bij heel erg veel groepjes mensen gestaan, maar was eigenlijk nauwelijks tot een echt gesprek gekomen. Ze werd geduld, maar voor haar gevoel was daar alles mee gezegd. Niet zo vreemd natuurlijk. Ze kon nergens iets toevoegen aan het gesprek.

Waarom was ze niet zoals haar ouders – haar moeder in het bijzonder – en haar twee zussen? Ze wist zeker dat die allang in het middelpunt van de belangstelling hadden gestaan. Mindy lukte zoiets nooit. En misschien was dat niet zo'n ramp, maar wat meer sociale handigheid in een dergelijke situatie zou niet schaden. Zouden er cursussen zijn voor een dergelijke vaardigheid? Waarschijnlijk wel. Tegenwoordig waren overal cursussen voor. Zelfs voor het opvoeden van je eigen kinderen. Maar dan nog… met alleen sociale vaardigheid kwam je er niet. Je moest ook intelligent zijn. Mindy geloofde niet dat ze erg intelligent was. Tot voor kort had ze dat gevoel soms wel gehad, als ze precies tot de juiste aanpak op haar werk was gekomen en Ron zijn bewondering had laten blijken. Maar nu kwam het gevoel dat haar vroeger zo vaak had geplaagd weer naar boven; ze was dommer dan de gemiddelde mens.

Ze was zich ervan bewust dat ze eigenlijk helemaal niet meer bij andere mensen stond, maar in haar eentje wat voor zich uit zat te staren. Dat was een situatie die ze zich als toekomstig manager niet kon permitteren en ze keek maar weer rond naar de groepjes mensen, die hier en daar elkaar al goed hadden leren kennen en dolle pret leken te hebben. Ze wist dat ze weer een groepje moest uitzoeken om zich bij te voegen, maar het idee alleen al maakte haar een beetje misselijk.

Ze schaamde zich om het toe te geven, maar ze had er gewoon geen zin meer in.

Het liefste wilde ze naar haar kamer gaan, haar schoenen uitschoppen, de gemaakte glimlach van haar gezicht halen, de make-up wegspoelen, de pyjama aantrekken en met een lekker glas wijn of iets dergelijks naar een of andere nietszeggende film op de televisie kijken. Maar daarvan kon uiteraard geen sprake zijn.

Ze keek nog een keer naar de druk pratende mensen om zich heen, zuchtte diep en besloot dat er geen bezwaar kon zijn tegen een korte pauze. Doorlopend liepen mensen in en uit, alleen al om de toiletten te bezoeken. Het viel vast niet op als zij de zaal uit liep voor een korte adempauze.

Ze wierp nog een laatste blik op de groep waar Ron nu deel van uitmaakte, zag dat een paar mensen zich hadden verwijderd en dat Hannah niet een van die mensen was, en dat Ron zich prima vermaakte. Het stak haar opnieuw dat hij bij Hannah stond. En dat vond ze eigenlijk raar van zichzelf.

Ze liep de zaal uit en haalde opgelucht adem toen er eindelijk weer ruimte om haar heen aanwezig leek. Even speelde ze met de gedachte plaats te nemen in het zitje bij de hoge ramen, schuin tegenover de ingang van de zaal, maar aangezien ze blijkbaar niet de enige was die op dat idee was gekomen en het stel wat daar al zat het erg druk had met flirten, koos ze ervoor om richting receptie te lopen.

Ze had geen bepaald doel voor ogen. Ze wilde alleen een momentje rust.

De zitjes rechts van haar, die half verscholen leken achter de muurtjes die eigenlijk het midden hielden tussen afscheidingen en pilaren, waren zonder uitzondering bezet. Ze vermoedde dat de mensen die daar met elkaar in gesprek waren verwikkeld bij haar eigen gezelschap hoorde, maar ze wist het niet zeker. Ze had zoveel nieuwe gezichten gezien, dat ze onmogelijk kon onthouden wie er nu wel en wie niet deel uitmaakte van de organisatie waar ook zij toe behoorde.

De lange leestafel bij de ramen die op de binnentuin uitkeken, was echter vrij. Het voelde een beetje vreemd om daar in haar eentje plaats te nemen, maar ze kon hier in ieder geval doen alsof ze een of ander belangrijk artikel las waardoor ze ontslagen was van de verplichting op voorbijgangers te letten, hen te groeten of zelfs een praatje te beginnen. En ze liep dan ook niet het risico zich ongemakkelijk te voelen bij het vooruitzicht om in het niets te staren, zorgvuldig de indruk ontwijkend dat ze naar andere mensen keek.

Toen ze ging zitten, zag ze een oude, kleine, wat tengere man door de Breviergang lopen. Het leed geen twijfel dat hij een van de broeders was die het missiehuis naast het congreshotel bewoonden, want hij droeg een lange donkere pij. Ze had eigenlijk niet verwacht dat de broeders nog steeds dat soort gewaden droegen en zich in het hotel lieten zien, maar dat was natuurlijk kortzichtig van haar. Het hotel was tenslotte het voormalige huis van die mensen en het missiehuis maakte er gewoon deel van uit.

De broeder verdween door de deuropening aan de andere kant en Mindy zocht een tijdschrift dat haar kon helpen met het aannemen van een neutrale houding en als excuus om zich even in zichzelf terug te trekken.

"Maakt het uit als ik erbij kom zitten?" vroeg een mannenstem onverwacht.

Onwillekeurig schrok Mindy een beetje. Ze keek op en staarde daarbij recht in het gezicht van de vreemde man die ze voor personeelslid van de onderhoudsdienst in het hotel had aangezien. Hij droeg nog steeds dat maffe bolhoedje op zijn rossige haar. Zijn tuinbroek flodderde losjes om zijn smalle lijf en hij streek nadenkend door zijn baard, terwijl zijn zeekleurige ogen zich in de hare boorden.

"Eh… nee, natuurlijk niet," hakkelde Mindy verontschuldigend. Hij glimlachte, ging tegenover haar zitten en wees op het tijdschrift. "Interesseert die onzin je echt?"

Mindy besefte nu pas dat ze een tijdschrift over management voor haar neus had liggen, gespekt met zakelijke gegevens. Ze loog natuurlijk toen ze knikte.

"Ongelooflijk," vond de man tegenover haar. Maar hij glimlachte toch weer en strekte zijn hand naar haar uit. "Armando Arends," stelde hij zich voor.

De naam kwam Mindy vaag bekend voor. "Volgens mij heb ik die naam al eens gehoord," zei ze dan ook.

"Hm. Dat zou niet verkeerd zijn."

Hij gaf geen nadere informatie en Mindy durfde er niet naar te vragen.

"En jij bent?" vroeg hij.

"Oh, sorry. Mindy Mees."

"Grappige naam."

"Hm." Mindy vond de naam niet grappig, maar kinderachtig. Hannah had er niet voor niets smalend op gereageerd. Mindy wilde niet kinderachtig en niet grappig klinken. Maar ze kon haar naam nauwelijks veranderen. Behalve dan als ze trouwde en bijvoorbeeld Bauwen kwam te heten. Of zo.

Ze schudde die gedachte weer haastig van zich af.

"Ben je hier op vakantie, Mindy?" vroeg Armando.

"Nee. Ik ben hier voor het seminar."

"Je lijkt er het type niet voor," vond Armando.

Mindy vond de opmerking beledigend. Waarom was ze er het type niet voor? Goed. Toegegeven. Ze vond zelf ook niet dat ze er echt het type voor was, maar daar werkte ze aan. Ze deed al het mogelijke om ertussen te passen en de man tegenover haar met zijn malle hoedje en vale tuinbroek had niet het recht om zo'n oordeel te vellen.

"Ik ben een van de managers van Fynn Laitteet, een internationale organisatie met bedrijven over de hele wereld. We zijn gespecialiseerd in de inrichting van woningen en bedrijven met producten die uitsluitend uit natuurlijke stoffen bestaan." Ze liep daarmee aardig vooruit op de zaken, maar haar zus had ooit beweerd dat je je moest gedragen alsof je de doelen die je nastreefde al had bereikt, omdat het de beste weg was naar succes. Dit was een goed moment om daarmee te beginnen.

"Mooi streven. Maar je lijkt werkelijk geen manager," vond de man tegenover haar.

Het irriteerde Mindy. "Jij ook niet," ontschoot het haar. Het was natuurlijk een belachelijke opmerking, want hij had niet beweerd manager te zijn. Zijn naam kwam haar bekend voor, maar wellicht had ze die ooit in een krant gezien in verband met een of ander delict.

Armando schoot in de lach. "Gelukkig niet," zei hij.

Mindy keek hem wat verward aan.

"Ik ben kunstschilder."

"Oh. Ik dacht dat je in het onderhoud van het hotel werkte of iets dergelijks," liet Mindy zich ontvallen. Zei ze dat werkelijk per ongeluk of wilde ze hem diep binnenin een beetje kwetsen?

Als dat al zo was, dan slaagde ze daar niet in. Hij reageerde niet beledigd, maar vond het eerder vermakelijk. "Ik betwijfel of mijn naam je dan bekend was voorgekomen. Ik maak mezelf namelijk graag wijs dat steeds meer mensen mijn werk kennen. Maar dat kan ook gewoon *wishful thinking* zijn."

"Ik heb je naam inderdaad eerder gehoord," gaf Mindy toe. "Ik weet alleen niet meer in welk verband. Wat schilder je?"

"Van alles. Ik ben hier omdat het hotel een expositie wil van schilderijen die direct en indirect verband houden met het hotel. Maar ik kan geen schilderijen maken zonder de sfeer op te snuiven."

"Schilder je abstract?"

"Een beetje."

"Een beetje abstract?"

"Een beetje abstract, maar herkenbaar. Ik laat graag mijn fantasie de vrije loop."

"Ah."

"Niet alleen op het gebied van schilderen," ging Armando verder. "Ik doe hetzelfde als ik om me heen kijk. Ik verzin zelfs verhalen bij mensen die ik zie. Als ik jou bijvoorbeeld bekijk, lijk je een klein, onzeker meisje, opgesloten in een te krappe verkeerde verpakking."

Mindy besefte dat ze zich ook zo voelde. Uiteraard zou ze dat niet toegeven.

Ze keek hem recht aan. "Je fantasie strookt niet met de werkelijkheid," zei ze. "Ik hou van mijn werk en mijn positie."

"En van hem?" vroeg Armando. Hij wees met een hoofdknikje naar het raam achter Mindy. Ze keek naar buiten en zag Ron met een glas in zijn handen staan. Hij stond daar natuurlijk niet alleen, maar ze wist zeker dat deze Armando Ron bedoelde.

"Ron is gewoon mijn baas. Verder niets," zei ze. Ze wendde zich weer tot Armando, maar zag dat zijn geamuseerde blik was verdwenen. Zijn gezicht vertoonde nu starre trekken, terwijl zijn ogen een tint donkerder werden.

Onwillekeurig keek ze weer achterom en zag dat Hannah zich opnieuw bij Ron had gevoegd. Ze waren in een intensief gesprek verwikkeld en zich duidelijk niet bewust van enige toeschouwers.

Mindy had het gevoel dat het gesprek geen werk betrof. De gebaren waren te heftig en er was die geëmotioneerde uitdrukking op het gezicht van Ron die ze niet helemaal kon plaatsen. Ze voelde zich ongemakkelijk daarbij, maar begreep niet waarom Armando ook op die wijze had gereageerd.

Ze draaide zich weer om naar Armando, maar zag nu pas dat de schilder alweer was verdwenen. Ze vond het vreemd, maar schonk er verder geen aandacht aan. Haar gedachten gingen uit naar Ron en Hannah, dus richtte ze haar aandacht weer op hen.

Ze zag Ron en Hannah in de richting van de openstaande deuren van de zaal lopen en dat stelde haar vreemd genoeg een beetje gerust. In de zaal waren meer mensen. Buiten hadden ze alleen gestaan. Goed... er waren meer mensen buiten aanwezig, maar die waren verdeeld in gespreide groepjes en de gevoerde gesprekken leken meer persoonlijk, zelfs als ze geen woorden of intonaties kon opvangen.

Ze bleef nog een tijd aan de lange tafel zitten en overwoog stilletjes naar haar kamer te sluipen. Als Ron er vragen over stelde, kon ze beweren dat ze hoofdpijn had gekregen. Al was de kans niet zo groot dat hij haar zou missen. Hij leek zich prima te vermaken.

Pas toen ze opstond, voelde ze hoe vermoeid en zwaar haar benen waren. Ze moest werkelijk niet denken aan nog meer uurtjes opgeprikt haar rol spelen en besloot dat ze nog altijd kon doen alsof ze door migraine was overvallen als iemand vragen stelde over haar vertrek. Ze wilde net richting receptie lopen, toen ze haar naam hoorde.

Ze keek om en zag Ron staan.

"Ik was je kwijt," zei hij.

"Ik, eh... ik had hoofdpijn. Daarom was ik de zaal uitgelopen." Ze klonk verontschuldigend, zoals altijd.

Ron liep haastig naar haar toe. Zijn gezicht was wat rood aangelopen; een indicatie dat hij het erg warm had. Het was nochtans niet meer zo warm. Mindy had het zelfs een klein beetje koud gekregen. Of lag dat aan haar?

"Iedereen krijgt hoofdpijn in zo'n zaal met zoveel mensen om zich heen," zei Ron.

Mindy keek hem wat verbaasd aan.

Hij grijnsde. "Lekker populair de vlotte kerel uithangen… Het wordt van je verwacht, maar het is zo verdraaid vermoeiend. Ik geloof dat ik een beetje jaloers op je ben. Jij hebt tenminste het lef om te vertrekken."

"Nou ja, het was niet mijn bedoeling om echt te vertrekken."

"Echt niet?" Hij keek haar onderzoekend aan. Hoopvol misschien.

"Een beetje misschien," gaf ze toch maar toe. "Vanwege de hoofdpijn."

"Zullen we samen ertussenuit piepen?" vroeg Ron. Zijn ogen bleven zich in die van haar boren en maakten haar onzeker.

Ze knikte haastig.

"Wat dacht je ervan om onze schoenen uit te schoppen, gemakkelijke kleding aan te trekken en lekker lui hangend een slechte film te bekijken onder het genot van een wijntje?"

Mindy kon nauwelijks geloven wat ze hoorde. Blijkbaar hadden Ron en zij meer overeenkomsten dan ze had durven dromen. Ze knikte.

Meteen besefte ze ook dat Ron zichzelf min of meer had uitgenodigd op haar kamer. Of ervan uitging dat zij in zijn kamer zou vertoeven. Dat ze in ieder geval hoe dan ook de avond in één kamer doorbrachten. En dat maakte haar dan weer onrustig. Hoewel ze er eigenlijk naar uit zou moeten kijken.

"Ik heb met die gedachte gespeeld," bekende ze nu eerlijk. "Ik bedoel natuurlijk om míjn schoenen uit te doen, makkelijke kleding aan te trekken en een film te bekijken." Ze wilde niet dat hij dacht dat ze had gefantaseerd over een avond met hem in een hotelkamer. Ook niet als ze dat in het verleden – en al helemaal voor het vertrek naar dit hotel – wel had gedaan. Ze had het niet nú gedaan. En daar ging het om.

"Natuurlijk heb je met die gedachte gespeeld. Ik wed dat het merendeel van de managers, die zich nu in die zaal zogenaamd staan te vermaken, met die gedachte speelt. En ik wed dat Lou met smart uitkijkt naar de dag waarop hij definitief zijn pak aan de wilgen kan hangen om met de voeten op de tafel kastje te kijken."

Mindy grinnikte even bij die gedachte. "Ik kan mij Lou in een oud klofje met de voeten op de tafel niet voorstellen."

"Ik ook niet. Misschien houdt hij ook helemaal niet van televisiekijken. Misschien wil hij liever aan een speelgoedspoorbaan werken of gaat hij aan de slag met bouwpakketjes van ingewikkelde vliegtuigen of iets dergelijks."

"Denk je?"

"Geen idee. Maar ik wed dat hij uitkijkt naar zijn vrije tijd."

"Zou jij daarnaar uitkijken?" vroeg Mindy, terwijl ze door de lange gang met de tekstbordjes bij de deuren van de vergaderzalen naar de trap liepen.

"Ooit wel, denk ik. Nu nog niet. Ik wil eerst nog wat bereiken, net als jij."

De woorden 'net als jij' bleven even in Mindy's hoofd hangen. Ze knikte.

"Jouw kamer of die van mij?" vroeg Ron, terwijl ze met soepele passen naar boven liepen.

Mindy twijfelde.

"Of ben je liever alleen?" vroeg Ron meteen. "Ik wil mij niet opdringen."

Mindy was liever alleen. En ze was liever niet alleen. Ze wist het zelf niet, haalde diep adem en dwong zichzelf tot een glimlach.

"Jouw kamer," zei ze. Op die manier kon ze altijd vertrekken als ze dat wilde. Ze zou haar excuus van hoofdpijn kunnen gebruiken.

"Mijn kamer. Maar misschien eerst wat gemakkelijks aantrekken?"

Zou hij verwachten dat ze een of ander sexy negligeetje of iets dergelijks in haar koffer had gestouwd? Vrouwen als Hannah droegen zoiets vast bij zich, voor de zekerheid. Je wist tenslotte nooit wanneer je indruk wilde maken op een man.

Maar Mindy had alleen een katoenen pyjama bij zich, die uit een roze broek en een shirt met een kat bestond. Dat was vast niet iets waar een man op doelde als hij voorstelde dat een vrouw iets gemakkelijks aantrok. In films werd een dergelijke opmerking altijd vertaald als het voorstel om iets aan te trekken wat zo veel mogelijk bloot liet en vooral niet echt gemakkelijk was.

Waarom had zij niet zoiets meegenomen? Ze had toch erop gehoopt om Ron beter te leren kennen? Of – als ze eerlijk was – erop gehoopt dat Ron als een blok voor haar zou vallen en dat ze als een paar terug zouden keren. Had ze dan niet eraan moe-

ten denken om iets mee te nemen waarmee ze hem kon verleiden? Typisch iets voor haar om alleen een roze pyjama met een
kat erop mee te nemen.

"Ik heb eigenlijk alleen een tamelijk belachelijke pyjama bij
me," bekende ze nu aan Ron.

Hij grijnsde. "Ik neem aan dat hij gemakkelijk zit. Als je een
pyjama belachelijk noemt, is dat waarschijnlijk de enige be-
staansreden van het ding."

"Ja, hij zit wel gemakkelijk."

"Nou dan…"

Mindy haalde een beetje opgelucht adem. "Ik kom zo meteen."

"Prima."

Mindy liep haar eigen kamer binnen, gooide onmiddellijk haar
schoenen aan de kant waarop haar voeten verkrampt protes-
teerden omdat ze opeens de oorspronkelijke vorm weer moesten aannemen en ruilde haar linnen broek met bloesje voor haar
kinderlijke, maar heerlijk comfortabele pyjama.

Eigenlijk had ze het liefst ook de make-up verwijderd, maar dat
vond ze toch te ver gaan. Het was al erg genoeg dat ze een man
moest verleiden in een roze pyjama met een kat erop geprint.
Als ze dat dan ook nog eens moest doen met een bleek gezicht
en rossige boerenwangen, had ze werkelijk geen schijn van
kans. Hoewel het idee om een man te verleiden haar eigenlijk
toch al een beetje belachelijk toescheen.

Ze trok wel de speldjes uit haar haren, omdat die haar behoorlijk irriteerden en gebruikte een haarband om de haren toch
enigszins uit haar gezicht te houden. Sokken en schoenen had

ze niet nodig. Rons kamer was slechts twee deuren verderop. Bovendien waren haar roze sloffen met nepbont en kwastjes waarschijnlijk wat te veel van het goede, zelfs voor een man die al wist wat hij van haar kon verwachten.

Dus verliet Mindy na een laatste blik op de spiegel – ze zag er in het roze en met haarband beslist niet slechter uit dan in pak met opgestoken haar – de kamer en klopte op de deur bij Ron.

Ron zat op bed en had een lichtgrijze joggingbroek en een makkelijk shirt aangetrokken. Ze had hem zo nog nooit gezien en ze kon het niet helpen dat ze net iets langer naar hem staarde dan ze eigenlijk wilde.

Ron zag er in pak altijd goed uit. Het was een van de dingen die haar in hem aantrokken; niet het pak zelf, maar het feit dat hij er zo goed in uitzag. Natuurlijk was dat niet de belangrijkste reden waarom ze hem zo graag zag, want ze was niet zo oppervlakkig dat ze alleen voor een uiterlijk viel. Maar het had zeker een rol gespeeld.

Zonder pak was Ron een andere man. Misschien niet zo stijlvol als de Ron die ze van haar werk kende, maar wel minstens zo aantrekkelijk. Ze voelde een vreemde kriebel in haar buik, die haar nerveus maakte.

"Knappe pyjama," zei Ron met een grijns. In tegenstelling tot haar leek hij volledig op zijn gemak. "Kom zitten." Hij wees op het scherm, waar Mel Gibson en Danny Glover in een vuurgevecht met een stel gangsters verwikkeld waren geraakt. Het was een van de *Lethal Weapon*-films waar een voormalig vriendje van haar zus Imke zo gek op was.

Mindy was er niet van onder de indruk, maar ze was niet van plan om dat te laten merken. Ze glimlachte toch een beetje nerveus naar Ron en keek naar de plek die hij had aangewezen, naast hem op het bed.

Hij leek haar aarzeling te merken.

"Ik bijt niet," zei hij.

"Weet ik," loog Mindy. Wist zij veel wat hij onder bepaalde omstandigheden deed. Maar ze besloot dat ze zich als een zelfbewuste jonge vrouw zou gedragen en ging naast hem op bed zitten.

"Als je liever ergens anders naar kijkt…" Hij duwde haar een glas in haar handen en goot er wijn in.

Mindy had geen idee waar hij die wijn vandaan had gehaald en ze vroeg zich heel even af of hij dit alles had gepland. Die gedachte maakte haar nog nerveuzer, terwijl ze het wellicht als een compliment moest opvatten. Tenzij hij haar meer als een kortstondig verzetje zag. Maar ze vond het moeilijk dat te geloven. Tenslotte werkten ze samen.

Ze schoof die gedachte dus weer haastig aan de kant en schudde haar hoofd. "Nee hoor. *Lethal Weapon* is goed."

"Ah, je kent de serie."

Ze knikte.

"Leuk. Ik hou van dit soort films. Veel actie en humor. Misschien iets te simpel, maar voor een avond als dit geknipt. Je hoeft er namelijk niet bij na te denken."

Mindy knikte nog maar een keer en nam een slokje wijn. Haar blik was gericht op het scherm.

Ze wist eigenlijk niet goed hoe het kwam, maar tegen de tijd dat de film bijna was afgelopen, merkte ze dat ze lichtjes tegen Ron aan zat, of hij tegen haar. Het was er blijkbaar vanzelf ingeslopen en voelde daardoor niet eens oncomfortabel. Integendeel. Het speet haar zowaar dat de film bijna was afgelopen. Het was al laat en het einde van de film hield ook het einde van het samenzijn in. Er wachtte een pittige lange dag op hen, de volgende dag. Een verstandig mens hield daar rekening mee.

Maar ze had verbazend weinig zin om op te staan en naar haar eigen kamer te gaan. Ze koesterde zich als vanzelf in zijn warmte en vederlichte aanraking en voelde een verlangen naar meer, waar ze zich een beetje voor schaamde.

Ze had inmiddels al haar tweede glas wijn leeg en misschien voelde ze zich ook daardoor wat doezelig warm en behaaglijk. Haar fantasie sloeg een weg in die haar rode wangen bezorgde.

Ron wilde een derde glas inschenken en Mindy was zich er vaag van bewust dat het wellicht geen goed idee was om dat toe te staan. In geen geval wilde ze te ver gaan. Toegegeven... ze had daar voor deze reis wel over gefantaseerd. Maar er was een groot verschil tussen fantasie en werkelijkheid en Mindy was nu eenmaal niet het type dat erg impulsief aan de liefde toegaf, noch wilde ze die indruk wekken. De relatie die ze tot dusver met Ron had, was te belangrijk om op het spel te zetten, als de uitkomst nog onduidelijk was.

Ze keek Ron aarzelend aan. Zijn gezicht was eigenlijk wel heel erg dicht bij dat van haar. "Misschien is het geen goed idee om nog een glaasje te nemen," zei ze. Haar stem trilde een beetje. Drukte zijn blik verlangen uit, of haalde ze zich nieuwe dingen in haar hoofd?

"Nog een laatste glaasje?" bedelde Ron.

Ze zou 'nee' moeten zeggen, maar liet toch toe dat hij nog iets inschonk. Zijn blik bleef op haar gericht, terwijl hij ook zijn eigen glas weer volschonk.

"Heb ik al gezegd dat ik je graag mag?" vroeg hij toen.

"Iets in die richting."

"Je begrijpt wie ik ben. Je accepteert wie ik ben. Ik geloof niet dat ik met iemand anders zo prettig kan praten als met jou. De meeste vrouwen zijn het na vijf minuten al beu als ik over het werk praat, maar met jou is het anders. Je bent net als ik; met dezelfde ambities."

Mindy's keel voelde droog aan. Ze wist niet goed wat ze moest zeggen, dus bleef ze in een wat stompzinnig stilzwijgen hangen.

Het leek Ron niet te storen. Hij zette zijn glas op het nachtkastje, nam het glas uit de handen van Mindy en zette het ook op het nachtkastje, om zich daarna naar haar toe te buigen en haar voorzichtig op de lippen te kussen.

Mindy bleef als verstijfd zitten. Hoe vaak had ze al over deze eerste kus gefantaseerd en gedroomd? Zo'n beetje iedere avond voordat ze ging slapen? Of vaker?

Ze had zich voorgesteld hoe ze de kus gepassioneerd zou beantwoorden en hoe ze in een vrijpartij zouden geraken die zijn weerga niet kende. Uiteraard eentje waarbij zij het volle initiatief nam, zoals dat bij succesvolle zakenvrouwen te verwachten viel.

Maar nu het werkelijk gebeurde, zat ze als een bleke ijslolly op het bed en liet het over zich heen komen. De kus dan. Van een gepassioneerde vrijpartij was nog geen sprake. Alleen al de gedachte daaraan bezorgde haar bijna een hartaanval.

Ron trok zich een beetje terug en keek haar vragend aan. "Sorry. Ik ga misschien te ver."

Zijn woorden waren onderzoekend; taxerend.

Mindy schudde wat bleu haar hoofd.

Hij boog zich opnieuw naar haar toe en kuste haar weer. Dit keer kon Mindy zich er eindelijk toe zetten om de kus te beantwoorden, maar het voelde nog steeds wat knullig. Alsof het de eerste keer was dat ze een man kuste. Ze was zevenentwintig en dus was dit niet de eerste keer. Ze had geen zee van ervaring met mannen, maar ze was ook geen maagd meer. En toch voelde het als een eerste keer.

Rons handen gingen door haar haren en streelden haar gezicht en schouders.

Het kussen ging gepaard met toenemende passie en ze voelde zijn handen onder haar pyjama glijden.

Meteen verstarde ze. Haar fantasie van de kus en het wellustige liefdesspel dat daarop volgde knapte als een zeepbel. Het was voortgekomen uit een of andere film; niet vanuit haar eigen persoontje.

Ron merkte haar reactie feilloos op en trok zich haastig verontschuldigend terug.

"Sorry," zei hij meteen. "Ik vrees dat de wijn mij iets vrijer maakt dan bedoeld."

Mindy knikte haastig. Nu moest ze iets zeggen wat haar gedrag kon verklaren zonder hem af te stoten, maar natuurlijk kwam er helemaal niets over haar lippen.

Ron ging recht zitten en pakte haar hand vast. "Ik mag je heel erg graag, Mindy. Dat heb ik altijd al gedaan. En ik moet eerlijk zeggen dat ik ook al vaker met de gedachte heb gespeeld om een afspraakje met je te maken, maar ik was bang dat het gevolgen zou hebben voor de werkrelatie en dat wilde ik niet. Want je bent naast een leuke vrouw ook de beste assistente die ik mij kan wensen. En natuurlijk de perfecte opvolger."

"Ik weet niet…" Meer dan dat kreeg ze er werkelijk niet uit. Zijn handen rustten warm en aangenaam in die van haar. Ze was dodelijk verliefd op deze man. Waarom gedroeg ze zich opeens zo tuttig?

"Je werk is natuurlijk de belangrijkste reden waarom ik je meenam hierheen. Maar niet de enige reden. Ik vind het ook gewoon prettig om je in mijn buurt te hebben," bekende Ron.

Mindy knikte maar even. Haar lichaam voelde nog steeds aan als een gestold ei.

"Ik weet niet hoe je over mij denkt?" Hij bleef haar recht aankijken.

"Ik mag je, Ron," bekende Mindy. "Misschien zelfs meer dan dat." Ze schrok een beetje van haar eigen woorden. "Eigenlijk met zekerheid meer dan dat. Het is alleen…" Ze aarzelde.

"Je springt niet zomaar met iemand in bed," vulde hij aan.

Ze knikte.

Hij glimlachte. "Eigenlijk maakt je dat alleen nog maar leuker," zei hij. "En het spijt me dat ik het probeerde. Ik had beter moeten weten. In geen geval wil ik de indruk wekken dat ik uit ben op een pleziertje. Je betekent meer voor mij dan dat."

Mindy bloosde.

"Wil je evengoed bij me blijven?" vroeg hij toen. "Ik beloof je dat ik mij gedraag."

Mindy twijfelde slechts heel even. Eén blik in de ogen van de man over wie ze zo vaak gefantaseerd en gedroomd had, was voldoende om haar 'ja' te doen knikken.

Hij ging weer dicht bij haar zitten, terwijl de aftiteling op het scherm verscheen, en legde voorzichtig, aarzelend bijna, zijn arm om haar schouders. Toen ze niet protesteerde of verstijfde, trok hij haar tegen zich aan en zij liet het, nog steeds wat aarzelend, gebeuren.

Ze kusten elkaar die avond nog een paar keer, maar hij ging niet verder dan dat. Het speet haar bijna, al liet ze dat natuurlijk niet merken. Maar ze vond het prettig om bij hem te liggen, en zijn vingers over haar schouders, armen en rug te voelen glijden. Ze vielen uiteindelijk in elkaars armen in slaap.

Ze droomde van een huwelijk in de Wim van Deursen-zaal in St. Willibrordhaeghe. Ze droomde van de speech waarin hij vertelde dat ze uitgerekend in dit hotel nader tot elkaar waren gekomen en zag zichzelf bij de enorme bruidstaart staan, uiteraard gekleed in het wit. Ze voelde de wat afgunstige blikken van haar zussen en ze hoorde de trots in de stem van haar moeder, terwijl ze familieleden vertelde over de promotie van haar en van de man met wie ze trouwde.

Ze glimlachte in haar slaap.

HOOFDSTUK 5

Mindy schrok midden in de nacht wakker. Ze meende dat ze een harde klap had gehoord, maar ze was niet zeker. Verward kwam ze overeind en het duurde een paar tellen voordat ze wist waar ze was.

Dat ze niet in haar eigen appartementje zat, begreep ze eigenlijk vrijwel meteen. Maar het duurde een paar tellen langer om zich te realiseren dat ze net zomin in haar eigen hotelkamer was. De uurtjes met Ron in deze kamer stonden haar opeens weer helder voor de geest en het warme gevoel dat aan haar lijf krabbelde als de luchtbelletjes in een warm bubbelbad, ging gepaard met onzekerheid.

Ze keek naar de lege plek naast haar. Ron was er niet.

Misschien was hij naar het toilet? Maar ze hoorde niets.

Een gevoel van onrust bekroop haar. Een verklaring daarvoor had ze niet. Ze stond op en liep op blote voeten naar de badkamer. Er was niemand. Daarna liep ze naar het raam en keek uit over de binnentuin, die een volledige duisternis werd bespaard door de aanwezigheid van bescheiden buitenverlichting. Er was niemand.

Misschien had Ron niet kunnen slapen en was hij naar de bar beneden in het hotel gelopen of iets dergelijks. Maar een korte blik op de klok vertelde haar dat het al drie uur was en dat maakte een bezoek aan de bar meer dan onwaarschijnlijk.

Ze hoorde voetstappen in de gang. Overdag zou haar dat waarschijnlijk niet zijn opgevallen, maar in de stilte van de nacht zou ze ongetwijfeld zelfs de spreekwoordelijke speld horen vallen. Heel even verwachtte ze dat het geluid van de voetstappen bij de deur zou stoppen en dat Ron onmiddellijk daarna naar binnen zou wandelen met het excuus dat hij even een luchtje was wezen scheppen of iets dergelijks. Maar de voetstappen versnelden juist en de persoon die ervoor verantwoordelijk was, rende de deur voorbij.

Zonder erover na te denken liep Mindy haastig naar de deur en trok hem open. Ze zag nog net de blonde knaap, die ze al twee keer eerder in het hotel had gezien, door de klapdeur aan het eind van de gang rennen. De jongen met de donkere haren, van wie ze eerder ook al een glimp had opgevangen, voegde zich achter die deur bij de blonde en ze ving nog net hun gegiechel op toen ze uit het zicht verdwenen.

Hadden die jongens geen ouders, vroeg ze zich verwonderd – en misschien ook een beetje geïrriteerd – af. Ze keek nog een keer naar links en rechts, maar van Ron was geen spoor te bekennen. Opgelost in het niets. Zo leek het.

Ze herinnerde zich een film die ze niet had willen zien, maar net zomin had weggezapt, en derhalve een paar weken geleden had bekeken, waarbij een vrouw zomaar opeens in een café verdween – en later vermoord bleek te zijn – en ze huiverde.

Misschien was Ron iets dergelijks overkomen?

"Fantast," mompelde ze meteen. Ron had natuurlijk niet kunnen slapen en wandelde door het hotel of was misschien zelfs de tuin in gelopen. Dat was alles. Misschien piekerde hij ergens over, waardoor hij niet kon slapen. Ze kon hem achterna gaan en vergezellen. Beelden van een romantische wandeling bij maneschijn kwamen vrijwel onmiddellijk bij haar op en werden net zo snel weer van de tafel geveegd. Misschien was er ook iets anders aan de hand. Misschien was Ron onwel geworden of iets dergelijks en was hij daarom naar buiten gelopen.

Bij haar in de wijk was een tijd geleden een dertigjarige sporter overleden aan een hartstilstand. Niemand begreep hoe het zover had kunnen komen, maar Annemieke van de supermarkt had beweerd dat het overbelasting was geweest. Sommige mensen vergden eenvoudigweg te veel van hun eigen lijf, had ze Mindy toegefluisterd. En ze had zelfs weten te vertellen dat de jonge man vlak voor zijn dood het park was in gelopen omdat hij het had voelen aankomen. Nu vertelde Annemieke heel erg veel waarvan het waarheidsgehalte op zijn zachtst gezegd nogal twijfelachtig was, maar Mindy liet niet graag iets over aan het toeval.

Ze liep haastig naar haar eigen kamer, trok haar roze pantoffels aan, controleerde nog een keer de kamer van Ron om te zien of hij terug was gekomen en ging daarna op zoek naar de man die nog maar net een paar uurtjes geleden min of meer zijn liefde aan haar had verklaard. Net iets voor haar om hem dan kwijt te raken. Ze was vastbesloten om dat niet te laten gebeuren.

Op haar pantoffeltjes liep ze de stenen trap af, terwijl ze ergens in de verte weer die knapen hoorde rondrennen. Hun voetstappen maakten een bijna hels kabaal in de serene stilte van het hotel. Zelfs als ze ver weg klonken.

Misschien hadden zij Ron wel uit zijn slaap gehaald. Onvoorstelbaar dat ouders die jongens op een dergelijk tijdstip lieten rondrennen, ongeacht of ze de puberleeftijd al hadden bereikt. Ouders bleven verantwoordelijk. Sommige mensen hoorden gewoon geen kinderen te hebben, vond Mindy. En daarmee herhaalde ze in gedachten de zin die haar moeder zo vaak had gebruikt. Een zin waar ze altijd een hekel aan had gehad. Ze schoof die gedachte maar weer haastig aan de kant.

Ze liep naar de achterdeur van het hotel en probeerde voorzichtig of hij gesloten was. Dat bleek niet het geval. Het verbaasde haar dat de deur naar de tuin zo gemakkelijk openschoof en het bevestigde haar aanvankelijke vermoeden dat Ron wellicht de tuin was in gelopen. Of dat nu was omdat hij piekerde of omdat hij onwel was geworden. De tuin lag het meest voor de hand.

Ze stapte aarzelend over de drempel en keek gespannen om zich heen. Er was wel iets van verlichting, maar het merendeel van de parkachtige tuin was in duisternis gehuld. Het was behoorlijk afgekoeld en voelde een beetje vochtig aan. Het rook naar groen en de stilte was hier nog nadrukkelijker aanwezig dan in het hotel. Verkeer in de verte bracht daar geen verandering in. Het bewoog zich voort in een andere wereld.

Aangezien ze op haar pantoffels rondliep en de weg in de tuin niet kende – of grensde het hotel gewoon aan een bos? – was het geen optie om verder de tuin in te lopen. Het leek haar bij nader inzien toch erg onwaarschijnlijk dat Ron de duisternis had opgezocht en ze zette net weer een pas achteruit over de drempel om de deur te sluiten, toen ze buiten stemmen hoorde. Eén stem herkende ze vrijwel meteen. Het was die van Ron.

Ze verstond niet wat hij zei, omdat hij op gedempte toon praatte, maar ze hoorde dat hij kwaad of geïrriteerd was. Ron had nooit de neiging om zijn stem te verheffen als hem iets ergerde of hij zelfs ronduit kwaad werd. Het tegendeel gebeurde eigenlijk altijd. Zijn stem kreeg dan die typische lage klank, waarbij het volume daalde, maar de intensiteit steeg. Hij bevond zich niet in het verlichte deel van de tuin, maar ergens in de zwarte omgeving die het hotel omringde. Ze kneep haar ogen samen en probeerde hem in de duisternis te onderscheiden.

"Kom op, Ron. We zijn uit hetzelfde hout gesneden en dat weet je. Dat heb je altijd geweten. Vroeger al."

Mindy ving nu een glimp op van de vrouw, wier stem opvallend helder in de nacht klonk. Ze trad als een koningin het verlichte deel van de tuin binnen, alsof ze de rol van een goede fee in een toneelstuk speelde – en daarmee dan ook de meest onwaarschijnlijke rol voor haar rekening nam. Mindy herkende de slanke gestalte en het blonde haar meteen: Hannah.

"Nee, dat zijn we niet. En denk maar niet dat ik..." Ron. Ze zag hem nu ook. Hij liep naast Hannah. De rest van zijn woorden verdween ergens in het zuchtje wind, dat langs haar gezicht streek.

Mindy week achteruit en drukte zich tegen de muur.

Ze zag hoe de twee mensen, net binnen bereik van de hotelverlichting, als onwerkelijke schaduwen uit een fantasyfilm passeerden. Ze liepen dicht bij elkaar, als een hecht koppel. De woorden die ze had opgevangen, spraken een andere taal. Maar woorden zeiden minder dan de taal van het lichaam. Dat had ze tenminste ooit ergens gelezen, toen ze nog – onterecht – dacht dat boekenwijsheid haar meer zelfvertrouwen kon geven.

Haar hart bonsde zo luidruchtig, dat ze bang was opgemerkt te worden. Ron had gezwegen toen ze vragen stelde over Hannah. Was het omdat ze een stukje verleden deelden? Een verleden dat nog niet was afgerond?

Mindy voelde een hevige teleurstelling. Ze dacht dat Ron en zij eindelijk nader tot elkaar waren gekomen. Hij had haar alle reden gegeven om dat te geloven. Was ze werkelijk een onnozel wicht dat zich door mooie woorden had laten inpakken?

Ze overwoog terug te gaan naar haar kamer, maar kon het op dat moment nog niet opbrengen. In plaats daarvan slenterde ze door de gang die evenwijdig aan de tuin liep. Ze kon niet door de ramen naar buiten kijken, omdat aan weerskanten vergaderkamers waren. Dat was de reden waarom ze uitgerekend hier liep. Ze wilde niet naar buiten kijken.

Zelfs zonder het te willen, zag ze voor zich hoe Hannah en Ron hun geschillen terzijde legden om elkaar in de armen te sluiten. Want zo ging het altijd; iedere film, ieder boek, waarin alles om de romantiek draaide, ging over twee lieden die elkaar niet konden zien of luchten en uiteindelijk toch van elkaar bleken te houden. En het was zo logisch. Als je niets om iemand gaf, deerde het je ook niet wat die persoon zei. Juist de liefde zorgde ervoor dat je zo kwetsbaar was.

Zij was kwetsbaar. Maar zij was niet het type dat vocht voor de liefde. Ze was het bange muisje, dat simpelweg afwachtte. Totdat het opgevreten werd door de kat. Hannah in dit geval.

Mindy bereikte het eind van de gang, toen ze de broeder in zijn bruine dracht weer zag. Ze was verbijsterd de oude man op dit tijdstip hier aan te treffen. Hij liep nota bene het damestoilet binnen, zag ze.

Nu wist ze heel erg goed dat het niet haar zaak was wat hij daar deed of waarom, en ze speelde zelfs met de gedachte dat de betreffende broeder best wel eens last kon hebben van dementie of iets dergelijks en daarom hier 's nachts rondliep en damestoiletten bezocht, maar ze was bovenal nieuwsgierig.

Dat drukte ze zelfs in haar eigen gedachten niet zo uit. Ze wist zichzelf voor te houden dat de broeder wellicht de link naar het heden kwijt was en in het hotel ronddwaalde omdat hij dacht dat hij hier nog woonde. En dat hij daarom hulp nodig had. Haar hulp.

Omdat ze goed in staat was zichzelf iets wijs te maken – anders was ze er tenslotte ook niet van uitgegaan dat Ron werkelijk gek op haar was en dat ze misschien wel ooit met hem zou trouwen, gekleed in een witte bruidsjurk met sleep, op een romantische locatie en met als hoogtepunt een taart als een flatgebouw met van die roze roosjes van marsepein – liep ze de broeder achterna, zonder zichzelf als bemoeial te zien.

Op de een of andere manier verwachtte ze dat hij opeens verdwenen zou zijn als ze de deur naar de toiletten opende, maar dat was uiteraard niet het geval. Mensen losten nu eenmaal niet in het niets op. Zelfs broeders niet.

De broeder stond bij de wasbakken en keek geschrokken naar haar om. Heel even had Mindy het gevoel jaren terug te gaan in de tijd. De link naar de toiletten van de oude havo, waar ze haar diploma had gehaald, in alle stilte en zonder de gebruikelijke horde vriendjes, was snel gelegd. De grote langwerpige ruimte met de witte wasbakken aan de muur rechts van haar, de rechte rij donkere deuren van de toiletten, de kleine donkere tegeltjes op de grond en de witte muren deden haar in ieder opzicht denken aan haar schooltijd.

Misschien waren de toiletten destijds overal hetzelfde geweest. Hoewel de toiletten van haar school niet zo schoon waren geweest als deze. En hoewel scholieren de neiging hadden alles op de deuren te schrijven wat ze niet hardop mochten zeggen. Juist om die reden.

Het gezicht van de broeder had de trekken van haar oude leraar Frans. Ze had die leraar gemogen. Niet alleen vanwege dat ronde, vriendelijke gezicht met de weerbarstige witte haren, maar vooral omdat hij als geen ander de indruk kon wekken dat hij zijn tijd voor de klas verspeelde met allerlei onzinverhalen in het Frans, terwijl de leerlingen aan zijn lippen hingen vanwege zijn uitmuntende toneelspel – niet zelden in Louis de Funès-stijl – en er onbewust veel van leerden.

De broeder was natuurlijk niet haar leraar en gezien de kleur die zijn gezicht kreeg, was het ook geen oude ontredderde man, in vergaande staat van dementie, die in opperste verwarring het damestoilet was binnengelopen.

"Oh hemel. Ik weet dat ik hier niet hoor te zijn," verontschuldigde hij zich meteen. Hij speelde wat nerveus met het koord om zijn middel. "Het zijn alleen die twee donderse knaapjes…" Hij schudde zijn hoofd. "Grijze haren. Ze bezorgen mij werkelijk grijze haren."

"Die twee donderse knaapjes?" vroeg Mindy.

"August en Philippe. Je hebt hen niet toevallig gezien?" Hij keek haar vragend – hoopvol bijna – aan.

"Twee jongens van een jaar of twaalf, dertien?"

"Twaalf jaar. Opgeschoten knullen. August is blond en Philippe heeft donker haar."

"Dan heb ik hen gezien. August rende daarstraks door de gang en toen hij door de klapdeuren verdween, ving ik nog net een glimp op van Philippe."

"Je ving een glimp op van Philippe?" Mindy hoorde de verbazing in de stem van de broeder.

"Heel even."

"De dondersteen. Ik wist wel dat hij nog ergens in het gebouw was. Als ik hem maar eens kon vinden…"

"August weet waar hij is," meende Mindy. "Ze troffen elkaar achter die klapdeuren en ik hoorde hen giechelen."

"Natuurlijk weet August waar Philippe is. Ik heb dat steeds gezegd, maar de anderen geloven August als hij met zijn brave onschuldige gezicht beweert dat hij daar geen flauw idee van heeft. Terwijl ze best weten dat August een dondersteen is."

"Hij rent hier nogal eens rond met veel kabaal," gaf Mindy toe. "Ik vroeg mij af wat een jongen op een dergelijk tijdstip in de gang van een hotel deed."

"Wie niet, jongedame. Wie niet." De broeder schudde zijn hoofd nog maar een keer.

"Hoe komt het dat u... nou ja, zijn ze met u hier in het hotel of hoe..." Ze bleef een beetje hangen in een vage vraag over het verband tussen de broeder en de jongens. Het konden nauwelijks zijn kinderen zijn. Broeders hadden geen kinderen en de leeftijd klopte niet.

"Ik heb de verantwoordelijkheid over hen," verzuchtte de broeder.

"Dat zal niet gemakkelijk zijn." Ze probeerde de leeftijd van de broeder te schatten, maar besloot dat hij net zo goed zeventig als negentig kon zijn. Ze was nooit erg goed geweest in het schatten van de leeftijd van oudere mensen.

De broeder schudde vermoeid zijn hoofd. "Nee, gemakkelijk is dat zeker niet. Vlegels. Dat zijn het."

"En u dacht werkelijk dat ze zich hier verstopten?"

"Ze weten dat ik hier niet graag naar binnen loop. Het hóórt niet."

"Och, er is nu toch niemand."

"U bent er."

"Ja. Maar eigenlijk alleen omdat ik u hier naar binnen zag gaan."

"Oh. Juist ja." Hij schudde nog maar eens zijn hoofd. Hij deed een klein beetje denken aan de hondjes, die mensen lang geleden bij de achterruit van hun auto plaatsten en wiens kop een beetje los zat, zodat hij bij iedere beweging van het voertuig wiebelde. Haar ouders hadden heel vroeger zo'n hondje gehad. Tegenwoordig zag je ze niet meer.

"Hier zijn ze in ieder geval niet," mompelde hij. "Misschien bij het herentoilet?"

Hij keek Mindy aan alsof hij die vraag aan haar stelde. Uiteraard kon ze daarop geen antwoord geven. Ze haalde wat halfslachtig de schouders op en liep als vanzelf mee toen hij het damestoilet verliet en naar het herentoilet liep.

Ze bleef in de deuropening staan. Het voelde een beetje raar om hier naar binnen te lopen. Ook al was het ook hier volkomen verlaten.

"Kan ik helpen zoeken?" bood Mindy aan. Ze moest de volgende dag vroeg op, maar was ervan overtuigd dat ze toch niet kon slapen. Ze kon net zo goed de arme broeder helpen, die ongetwijfeld ook liever in bed lag dan dat hij midden in de nacht twee opgeschoten jongens zocht.

"Dat is lief aangeboden," zei hij. "Maar ik denk niet dat ik hen vannacht nog vind. Ze hebben zich allang uit de voeten gemaakt."

"Maar ze kunnen toch niet de hele nacht door het hotel spoken?" reageerde Mindy toch wat ontdaan. "Die jongens moeten toch ook slapen."

"Oh, neem maar van mij aan dat ze zich heus redden," zei de broeder. "Die twee komen niets tekort. Daar zorgen ze wel voor."

"Maar ze zijn pas twaalf," bracht Mindy er toch maar tegen in. De broeder keek haar aan en glimlachte een beetje. "Je zou versteld staan," zei hij alleen maar.

Hij liep de toiletten weer uit en passeerde haar daarbij. Eenmaal op de gang draaide hij zich weer naar haar om. "Wat doet u hier eigenlijk midden in de nacht?" wilde hij weten.

"Ik, eh… ik kon niet slapen."

"Ah. Dat is natuurlijk niet zo best. Hebt u al eens warme melk geprobeerd? Met een beetje honing misschien?"

Mindy glimlachte even. "Ik vrees dat warme melk hier niet gaat helpen."

"Piekerproblemen?"

"Eh… ja."

"Hm. Lost het iets op? Dat piekeren?"

"Nee, dat niet…"

"Heeft het dan wel zin om te piekeren?"

"Nee…"

"Dan zou ik het achterwege laten en een glaasje warme melk nemen. Met honing."

Mindy glimlachte opnieuw. "Het klinkt zo logisch. Als alles nu eens zo gemakkelijk was…"

De broeder legde zijn hand op haar schouder. Hij voelde aangenaam warm en vertrouwd aan, door de dunne stof van haar pyjama heen. "Het ís gemakkelijk. Troebel water wordt helder als je het met rust laat."

Mindy begreep wat de man zei en keek hem aan. Misschien had de broeder wel gelijk. Misschien moest ze eenvoudigweg een pasje op de plaats maken, toekijken en afwachten. Misschien zou Ron dan zelf met zijn verklaring komen en misschien was het niet zoals ze dacht. Of juist wel. Maar ook dan had piekeren geen zin. Ze knikte. "Ik denk dat u gelijk hebt."

Hij knikte. "Mensen die mijn leeftijd hebben bereikt, hebben altijd gelijk. Ga lekker slapen. Morgen is een nieuwe dag."

Mindy knikte opnieuw en draaide zich om. Op haar pantoffeltjes liep ze door de gang terug naar de trap. Toen ze omkeek, was de broeder alweer verdwenen. Wellicht had hij besloten zijn eigen raad ter harte te nemen en zelf een glaasje melk met honing te nemen om de slaap te kunnen vatten. Mindy vond het nog steeds onbegrijpelijk dat die jongens dan hun zwerftocht in het hotel konden voortzetten; midden in de nacht!

Maar wellicht hadden ze vakantie en wisten ze hier feilloos de weg. En dat betekende dan waarschijnlijk ook dat ze een slaapplaats kenden en de keuken konden bereiken. De broeder leek niet iemand die jongens aan hun lot overliet als daar risico's aan waren verbonden. Maar misschien wel iemand die berustte in de dingen die hij op dat moment niet kon veranderen. Zoals hij dat eigenlijk ook haar had geadviseerd.

HOOFDSTUK 6

Ze botste bijna tegen Armando op toen ze de lift uit liep op haar eigen verdieping. De rossige schilder droeg dit keer een soort hansop, waar hij misschien wel in sliep. Het had wat weg van de hansoppen die ze ooit in een westernklassieker had gezien, toen een van de cowboys op een ongelegen moment uit bed werd gehaald. Maar haar verbazing om hem op dit tijdstip tegen het lijf te lopen, was groter dan haar verbijstering over zijn dracht.

"Zo laat nog op pad?" vroeg Armando.

"Eh ja… wilde je met de lift mee?"

"Nee. Ik kom van beneden af. Ik wilde alleen even kijken… Nee. Ik wilde naar mijn kamer gaan."

"Oh. Ja. Ik ook."

"Slapeloosheid?"

Ze keek hem wat verbaasd aan.

"Omdat je op dit tijdstip hier ronddwaalt."

"Eh ja. Jij ook?"

"Iets in die richting."

Ze liepen als vanzelf samen de gang in. "Waar is je vriend?" vroeg Armando.

"Vriend?"

"De vlotte knaap in pak."

"Ron. Mijn baas. Dat zei ik eerder toch al?"

"Ja. Maar hij is toch een beetje meer dan alleen je baas, niet-waar?"

"Nee." Het antwoord kwam sneller en kribbiger dan ze wilde.

"Oei. Gevoelig onderwerp. Ruziegemaakt?"

"Nee, natuurlijk niet."

Hij glimlachte.

Mindy ergerde zich eraan. "Goedenacht," zei ze vinnig.

"Sorry. Ik wilde je niet beledigen. Kan ik je een slaapmutsje aanbieden?"

Ze bekeek hem hooghartig. "Ik ga niet zomaar met een vreemde kerel een hotelkamer binnen."

"Ik bedoelde niets anders dan alleen een slaapmutsje. Als ik met je naar bed had gewild, had ik dat wel gevraagd."

"Nou moe…" reageerde Mindy vol ongeloof.

"Ik bedoel dus echt alleen een slaapmutsje. We kunnen er eentje hier in de gang nemen. Dan hoef je niet mijn kamer binnen te lopen."

"Waarom wil je met mij een slaapmutsje nemen?" vroeg Mindy stug en wantrouwig. Eigenlijk vond ze dat ze hem meteen moest afwimpelen, maar ze kon niet ontkennen dat ze het nog even wilde uitstellen om haar eigen kamer binnen te gaan. De broeder had gelijk over het piekeren en dat troebel water, maar Mindy was bang dat ze die wijze raad zou vergeten zodra ze haar eigen lege kamer binnenliep. Bovendien had ze geen melk met honing. En misschien… heel misschien… hoopte ze dat ze Ron nog zou treffen en dat hij dan een goede verklaring kon geven voor het feit dat hij Hannah midden in de nacht in de tuin van het hotel had gesproken. Zelfs als ze daar niet om vroeg. Dat sprankje hoop… dat kon ze niet van zich afzetten.

Ze keek de rossige schilder wat afwachtend aan. Ze had tenslotte nog geen antwoord op haar vraag en wilde de vreemde vogel niet aanmoedigen als hij er toch meer in zag dan alleen een gezamenlijk drankje.

"Omdat ik niet graag alleen een slaapmutsje neem," verklaarde Armando. "Het heeft wat pathetisch om in mijn eentje midden in de nacht een drankje te nemen omdat ik niet kan slapen, vind ik eigenlijk. Hoewel ik het evengoed vaak genoeg doe. Je moet tenslotte iets, als je chronisch slecht-slaper bent. Maar niet als het ook anders kan."

"Je hebt dus gewoon een excuus nodig."

"Ook."

"Ook?"

"Ik vind je grappig."

"Grappig?" Mindy voelde zich enigszins beledigd. Wat was er in hemelsnaam grappig aan haar?

"Beledig ik je nu?"

"Nee, natuurlijk niet," reageerde ze pinnig.

Zijn grijns werd breder.

Mindy werd zich bewust van haar roze zuurstokkenpyjama met kat en haar pluizige pantoffels. Goed. Misschien zag ze er een beetje grappig uit op haar leeftijd in een dergelijke pyjama. Maar dan was ze niet de enige. Ze keek naar zijn hansop. "Misschien moet ik hetzelfde van jou zeggen."

Hij plukte aan zijn hansop. "Gaaf, hè?" Hij knipoogde. "Kom."

"Wat?"

"Slaapmutsje."

"Nu we het daar toch over hebben. Waarom draag je geen slaapmuts?" vroeg ze. Het was wat plagend bedoeld.

Hij lachte. "Dan raken mijn haren in de war."

Ze keek naar zijn verwarde rossige haren. "Ah ja, logisch. Dat ik daar niet aan dacht."

Ze stopten bij zijn deur en zij wachtte in de gang tot hij terug-kwam. Eigenlijk vond ze het een beetje belachelijk. Ze geloof-de niet dat Armando werkelijk gevaarlijk was. Maar ze had nu eenmaal gezegd dat ze zijn kamer niet binnen wilde, en dan deed ze dat ook niet. Bovendien hoorde het gewoon niet, vond ze nog steeds.

En dat niet alleen. Stel dat Ron nu werkelijk naar boven kwam… wat moest hij dan van haar denken als ze bij een ande-re man in de kamer zat, zodra hij haar de rug toekeerde?

Hij was weliswaar naar Hannah toe gegaan – of zij naar hem – maar Mindy vond zelf dat ze niet het recht had om daar conclu-sies uit te trekken. Dat deed ze toch altijd al veel te snel.

In geen geval wilde ze eventuele kansen voor de toekomst – misschien wel inclusief bruidsjurk met sleep en taart met ver-diepingen en marsepeinroosjes – op het spel zetten.

Misschien vond Ron het ook vreemd als ze met raar pluimage als Armando in de gang een borreltje dronk, maar dan kon ze gewoon zeggen dat ze zijn afwezigheid had opgemerkt, onge-rust was geworden en daarom hier in de gang op hem wachtte. Puur per toeval met de rossige schilder. Omdat hij ook niet meer had kunnen slapen, haar op de gang had getroffen en haar een drankje had aangeboden. Zonder bijbedoelingen. Dat zou ze er duidelijk bij zeggen.

Mindy voerde in haar hoofd al hele gesprekken met Ron, toen Armando met twee glaasjes likeur en twee kussens naar buiten kwam. Hij drukte Mindy een kussen in de handen en gooide het andere kussen op de grond, zodat hij daarop kon gaan zitten.

Mindy volgde zijn voorbeeld en nam een glaasje likeur van hem over. Het rook naar amandelen. Ze had het wat frisjes gekregen en het nippen aan de likeur zorgde ervoor dat haar lijf weer een beetje warm werd. Bovendien was het lekker.

Vreemd genoeg voelde het best comfortabel om hier met die maffe schilder in de gang te zitten en likeur te nippen. Misschien was ze werkelijk een beetje raar. Maar daar dacht ze liever niet over na.

"Al inspiratie kunnen opdoen voor je expositie?" vroeg ze de schilder.

"Een beetje. Nog niet genoeg. Nog wat meer nachten rondzwerven helpt wellicht."

"Ik dacht dat je rondzwierf omdat je niet kon slapen."

"Kon ik ook niet."

"Piekeren over het werk dat voor je ligt?"

Hij lachte. "Nee, daar pieker ik nooit over. Jij wel?"

"Soms," gaf Mindy toe.

"Waarom?"

"Ik heb een drukke baan. Manager. Weet je nog? Veel verantwoordelijkheid. Dat brengt nu eenmaal zorgen met zich mee."

"Waarom doe je het dan?"

Ze keek hem verbaasd aan. "Het is een goede baan."

"Waarom?"

"Wat is dat voor een rare vraag?"

"Waarom is het een goede baan als het je wakker houdt?"

"Het is nu eenmaal een baan met verantwoordelijkheid. Dat heeft consequenties."

"Waarom zou je die consequenties willen hebben?"

"Je stelt rare vragen, Armando. Iedereen weet dat een drukke baan met verantwoordelijkheid zijn prijs heeft. Daar staat echter ook veel tegenover."

"Zoals?"

"Een goed salaris."

"Heb je wel tijd om het op te maken als die baan zo druk is?"

"Je kunt er een mooie woning van kopen en zo."

"Maar dan heb je geen tijd om ervan te genieten."

"Natuurlijk wel. En het gaat niet alleen om geld. Het gaat ook om verantwoordelijkheid."

"Die je wakker houdt?"

"Je begrijpt het niet," verzuchtte Mindy. "Laat maar."

"Je lijkt er gewoon geen type voor," zei Armando toen.

"Hoe bedoel je dat?" Mindy voelde dat de opmerking haar beledigde. Zelfs als hij wellicht niet zo was bedoeld. "Denk je dat ik het niet kan of zo? Dat ik er te dom voor ben?" Ze wilde dat helemaal niet zeggen. Het ontschoot haar en klonk te dramatisch. Ze schaamde zich een beetje voor haar reactie, maar kon hem niet terugnemen.

"Ik bedoel gewoon dat je er het type niet voor bent. Je bent het type voor zo'n pyjama en gezelligheid. Niet het zakentype."

"Daar kun je je dan behoorlijk in vergissen."

Hij glimlachte alleen maar.

Ze nipten aan hun likeur.

"Ben je beroemd?" vroeg Mindy toen.

"Alleen bij de mensen die mij kennen."

"Dat is een raar antwoord."

"Het is waar."

"Goed dan. Kennen veel mensen je?"

"Geen idee."

"Tjonge." Ze dronk de likeur op en wierp de schilder een ter-loopse blik toe. Het was een rare kerel, vond ze. Maar hij had wel iets… Zijn gezicht was helemaal niet zo onaardig en zijn ogen hadden de kleur van de Noordzee. Hij was het type waar je waarschijnlijk eindeloos mee kon filosoferen. Als ze zoiets zou willen doen. Maar dat deed ze allang niet meer. Ze had het vroeger wel graag gedaan met haar beperkte nerd-vriendjes. Maar dat lag allang achter haar. Ze zou het trouwens toch niet tegen iemand als Armando op kunnen nemen in een diepgaand gesprek. Armando straalde te veel zelfvertrouwen uit en ze was een klein beetje jaloers op zijn zelfvertrouwen.

"Kom je uit een dorp?" wilde Armando weten.

"Nee. Ik ben een stadsmeid."

"Echt?"

Mindy dacht aan de eerste twaalf jaar van haar leven die ze in een dorp had doorgebracht en aan het feit dat ze zoveel op de boerderijen had rondgehangen en daarvan had genoten. "Echt," zei ze. Ze was tenslotte dat meisje niet meer.

"Hm."

"Uit een zakengezin," zei Mindy. Hij moest niet denken dat ze een of ander boerenmeisje was. "Mijn vader is ondernemer en mijn moeder werkt binnen hetzelfde bedrijf. Nogal succesvol. Eén zus is aandeelhouder van het juristenbureau waar ze werkt en mijn andere zus heeft al een eigen kledinglijn ontwikkeld, terwijl ze pas drieëntwintig jaar oud is."

"Ah. Succesvolle zakenmensen."

Mindy knikte ijverig. "Dus zoals je ziet…"

"Ik vind je er evengoed niet het type voor," zei Armando.

"Je vergist je." Ze dronk haar glaasje leeg en stond op. "Bedankt voor de likeur. Ik denk dat ik maar naar bed ga. Ik heb morgen een lange dag voor de boeg."

Hij knikte en stond ook op. "Bedankt voor je gezelschap," zei hij.

"Graag gedaan. En oh… als je trouwens jongens van een jaar of twaalf door de gangen ziet rennen, dan moet je eens kijken of je hen kunt overhalen het missiehuis weer op te zoeken."

"Jongens die hier door de gang rennen?"

"August en Philippe. Ze spelen een soort verstoppertje voor een van de broeders van het missiehuis, die de verantwoordelijkheid over hen heeft. Ik heb daarstraks met hem gesproken. Hij zocht die knapen, maar kon hen niet vinden."

"Ik heb geen jongens of broeder gezien. Weet je zeker dat je geen spoken hebt gezien?"

Mindy zag de pretlichtjes in zijn ogen. "Haha. Het klooster is niet oud genoeg om spoken te herbergen."

"Dat beweerde de receptioniste ook, maar kun je ooit zeker zijn? En zijn spoken leeftijdsgebonden?"

"Historiegebonden. Bovendien geloof ik niet in spoken. Al helemaal niet in spoken met wie je gesprekken voert en die je kunt aanraken."

"Er is meer tussen hemel en aarde dan uw geest kan bevatten, mijn vriend Horatio…"

"Hamlet. Shakespeare."

"Ah, je kent het."

Ze glimlachte en liep naar haar kamer. Natuurlijk kende ze Shakespeare. Wie niet?

HOOFDSTUK 7

Mindy voelde zich gebroken toen om zeven uur haar telefoon liet weten dat het tijd was om op te staan. Ze draaide zich kreunend om en kneep bijna haar ogen weer dicht, toen het tot haar doordrong dat ze niet in haar eigen appartementje was, maar in een hotel met de bedoeling een seminar bij te wonen.

De eerste lezing begon om halfnegen, maar voor die tijd wilde ze douchen, zichzelf aankleden en opmaken – en dat laatste had bij haar nogal wat tijd nodig omdat ze wel eens wilde uitschieten met de make-up en dan van voren af aan moest beginnen – en ontbijten. Zonder ontbijt functioneerde ze niet.

En ze had nu eenmaal een hekel aan stress. Zelfs als dat tegenwoordig een groot deel van haar leven uitmaakte en het ook een onderdeel van haar functie was. Ze verbeterde zichzelf dan ook. Ze had een hekel aan onnódige stress.

Haar lichaam leek tachtig jaar oud toen ze uit bed klom. Ze had natuurlijk veel te weinig geslapen. Ze had geen idee wanneer ze afgelopen nacht uiteindelijk in slaap was gevallen, maar voor haar gevoel kon dat nooit langer dan twee uurtjes geleden zijn gebeurd.

Ondanks het slaapmutsje van de roodharige schilder had ze nog lang wakker gelegen. Tegen beter weten in had ze gehoopt dat Ron voorzichtig bij haar op de deur zou kloppen als hij ontdekte dat ze van zijn kamer was verdwenen, om uitleg te geven over zijn nachtelijk uitstapje. Een heel aannemelijke uitleg, natuurlijk.

Dat was echter helaas niet gebeurd.

Ze had zich de afgelopen nacht afwisselend voorgehouden dat hij haar niet had willen storen en daarom zo stilletjes was verdwenen en dat hij de dingen die hij had gezegd en gedaan, had gezegd en gedaan onder invloed van de wijn, daar spijt van had gekregen, regelrecht in de armen van Hannah – zijn enige echte liefde – was gevlucht en dat hij blij was dat ze uit zichzelf van zijn kamer was verdwenen.

Haar eerste gedachte had de voorkeur.

Gesprekken had ze ook gevoerd, afgelopen nacht. In haar hoofd. Niet in het echt. Lange gesprekken met Ron, waarin hij toegaf dat hij Hannah had getroffen omdat ze daarom had gevraagd – verliefd op hem als ze was – en hij haar had afgewezen omdat hij nu eenmaal van Mindy hield en zichzelf had verloren in een dagdroom – of was het een nachtdroom? – en waarin hij ten slotte een liefdesverklaring aflegde en haar een ring aanbood.

Maar ook ongewenste gesprekken waren in haar weerbarstige, onbetrouwbare, brein opgekomen waarbij er eerder sprake was van een nachtmerrie, in plaats van een nacht- of dagdroom, en waarin Ron vertelde dat hij zich met Hannah had verenigd. Of herenigd.

Mindy had geen idee hoe ze zich tegenover hem moest opstellen, als ze hem in de ontbijtzaal tegen het knappe lijf liep en overwoog daarom ernstig om dan maar niet te ontbijten.

Maar ze wist te goed dat het niets oploste. Uiteindelijk zou ze hem toch onder ogen moeten komen. Hij was haar baas en ze waren samen naar het seminar gekomen. Ze zouden de komende dagen hun tijd samen moeten doorbrengen. In ieder geval de tijd waarin ze de lezingen en workshops moesten volgen.

Bovendien had ze honger.

Waarom had ze trouwens altijd honger? Vrouwen als Hannah hadden vast nooit honger.

Ze sleurde zichzelf naar de badkamer, wierp een bedenkelijke blik in de spiegel en nam eerst maar eens een lange douche. Het kostte haar moeite om daarna de make-up aan te brengen, omdat de spiegel in de badkamer beslagen was en iedere keer opnieuw besloeg als ze hem met de handdoek droog veegde, maar het lukte haar uiteindelijk toch om wat foundation, oogschaduw, mascara en rouge aan te brengen. Naar ze hoopte zonder al te veel uitschieters en vlekken.

Daarna koos ze een rok – ze droeg nooit rokken en voelde zich er hoogst ongemakkelijk in, maar haar moeder had gezegd dat ze daar tenminste een beetje vrouwelijk in uitzag en dat was al heel wat – de gehate pumps die te degelijk waren om echt charmant te zijn en weer te modern om gemakkelijk op te lopen – en een bloesje, waarvan ze na een korte aarzeling toch maar een knoopje extra openliet. Voor alle zekerheid. Ze wilde geen tutje zijn. Al helemaal niet tegenover Ron. Maar ze controleerde toch maar minstens drie keer in de spiegel of het zo geen inkijk bood als ze voorover boog. Ze wilde er vrouwelijk en een tikje verleidelijk uitzien, maar ze wilde niet voor gek staan.

Pas toen ze niets meer kon verzinnen wat ze mogelijk in haar hotelkamer kon doen, ging ze naar beneden, naar de ontbijt-zaal.

Ze was bepaald niet de eerste. Een heleboel gezichten van de vorige avond herkende ze nu eindelijk ook, maar gelukkig zag ze geen Hannah.

Hoewel… er was ook geen Ron.

Ze voelde een vervelende steek in haar maag en liep haastig naar het ontbijtbuffet, vastbesloten om niets van haar verwar-rende gevoelens te laten merken. Ze koos voor eieren, bacon en witte broodjes en merkte dat ze te veel ervan opschepte. In bij-zijn van Ron zou ze dat nooit hebben gedaan. Maar ze voelde nu een onevenredige behoefte om zichzelf te troosten en niets troostte beter dan alles wat je jezelf in iedere andere situatie onthield omdat het ongezond of dikmakend was. Of zelfs bei-de.

Toen iemand op haar schouder tikte, schrok ze zowaar. Ze draaide zich om en keek recht in het gezicht van Ron. Automa-tisch keek ze even over zijn schouder, half in de veronderstel-ling ook Hannah te zien. Maar Hannah was er niet.

"Je was opeens verdwenen," zei Ron. Het klonk niet als een be-schuldiging, maar gelukkig ook niet als opluchting. Hooguit verwonderd.

"Eh ja, ik was in slaap gevallen bij jou op bed en toen ik wakker werd, dacht ik dat het misschien geen goed idee was. Het is wellicht een beetje vreemd als mensen merken dat wij als baas en assistente in dezelfde kamer slapen. Dat roept bepaalde ge-dachten op; cliché baas met assistente…" Ze grinnikte nerveus. "Buitenstaanders weten tenslotte niet dat we niet een of ander avontuurtje beleven en alleen maar de nacht met elkaar doorbrengen. Zonder... nou ja. Dat er niets aan de hand is, dus." Ze giechelde opnieuw nerveus en vond dat ze als een onnozele tiener klonk.

"Is er verder niets aan de hand?" Hij keek haar onderzoekend aan. "Echt niet?"

"Ik ben niet kwaad omdat je opeens weg was. Je was vast gewoon een stukje wandelen. Het is natuurlijk je goed recht om opeens weg te gaan." Ze ontweek zijn blik een beetje. Ze had zijn uitstapje helemaal niet willen noemen.

"Ik bedoel tussen ons? Is er werkelijk niets tussen ons aan de hand?"

Nu keek ze hem, wat verbaasd, aan.

"Ik dacht dat de gevoelens wederzijds waren?"

Mindy slikte moeizaam. "Je was opeens weg toen ik wakker werd en ik dacht... nou ja... Ik weet het niet."

Ze kon natuurlijk zeggen dat ze hem achterna was gelopen en met Hannah had gezien en daar haar eigen conclusies uit had getrokken. Maar dan klonk het alsof ze hem bespioneerde. Nu was dat ook een klein beetje het geval, maar dat hoefde hij niet te weten.

"Ik kon niet slapen, dus ben ik even de kamer uit gegaan. Ik wilde een beetje rondlopen; wat buitenlucht inademen."

"Oh." Mindy voelde een heftige teleurstelling. Ron noemde Hannah niet.

Ze nam zichzelf de teleurstelling kwalijk. Ron had wellicht een reden om Hannah niet te noemen. Een reden die niets met haar te maken had. En het was natuurlijk mogelijk dat hij haar per toeval had getroffen, dat ze zich aan hem had opgedrongen en dat hij haar zo snel mogelijk had geloosd. Dat verklaarde evengoed niet waarom hij blijkbaar niets over haar kwijt wilde, maar daar wilde ze eigenlijk niet bij stilstaan. Zelfs niet als ze het toch deed. Zelfs niet als ze zich probeerde voor te houden dat die ontmoeting volgens Ron het noemen niet waard was.

"Toen ik terugkwam, was je verdwenen," ging hij verder. "Ik was bang dat je boos was, omdat ik was weggegaan. Was je echt niet boos?"

"Nee, natuurlijk niet. Ik werd wakker en je was er niet. Ik dacht na over de situatie en besloot dat het beter was als ik naar mijn eigen kamer ging. Als je er wel was geweest, had ik dat ook gedaan, maar daarbij uitgelegd waarom ik dat deed."

"Je weet zeker dat je niet boos bent?"

Ze knikte. Natuurlijk wist ze dat niet zeker, maar dat kon ze toch niet zeggen?

"Samen ontbijten?"

Ze knikte opnieuw en keek even naar haar bord, waar ze een flinke portie ei met bacon, broodjes en vette kaas had opgestapeld. Ze kleurde.

Hij keek ook naar haar bord. "Goeie eter?"

"Ik denk dat ik heb overdreven. Ik kan het vast niet op."

"Dat zou jammer zijn. 's Morgens moet je goed eten. Dat zegt mijn oma altijd. En zij kan het weten, want ze is al zesennegentig."

"Eet 's morgens als een keizer, 's middags als een koning en 's avonds als een bedelaar. Dat zegt mijn moeder altijd. Het heeft haar altijd superslank gehouden."

"Daar zit wat in."

"Het werkte niet voor mij."

"Je bent perfect zoals je bent."

Mindy kleurde opnieuw. Ze geloofde niet dat hij het meende, maar het was aardig bedoeld.

Toen ze met hem naar een tafeltje liep, verzon haar hoofd al alle mogelijke excuses waarom hij die nacht in de tuin was geweest en met Hannah had gepraat. Ze lette erop excuses te verzinnen die in haar voordeel uitvielen. Aan andere redenen wilde ze niet denken.

Er waren momenten tijdens het ontbijt dat ze bijna verwachtte dat hij erover zou beginnen; dat hij zijn nachtelijke ontmoeting met Hannah zou noemen en verklaren. Maar dat deed hij niet. Hij praatte over het ontbijt, de koffie, het seminar en het werk. Maar niet over Hannah.

Ze overwoog zelfs om de naam maar eens – zogenaamd per ongeluk – te noemen, maar durfde het toch niet. Misschien was ze bang erachter te komen dat hij werkelijk iets voor haar verborg. Het leek zoveel makkelijker om erin te geloven dat het om een toevallige ontmoeting ging. Dat het allemaal niets te betekenen had.

Hannah werd ook niet genoemd toen het tijd werd voor de eerste lezing van het seminar in de dr. Hub J. van Doorne-zaal met zijn podium, waar de spreker door iedereen gehoord en gezien kon worden.

Mindy zag Hannah trouwens ook niet. Zelfs niet toen de deuren van de zaal sloten. Ze betrapte zich erop dat ze af en toe onopvallend de gezichten van de mensen om haar heen bekeek, ervan overtuigd dat het knappe gezicht van de blondine alsnog aanwezig bleek. Maar ze kon haar nergens ontdekken.

Ze vroeg zich af of het Ron ook opviel dat ze er niet was, maar uit niets bleek dat hij haar zocht. Als hij haar al miste, dan zat hij daar blijkbaar niet mee. Tenzij hij wist waar ze was.

Dat Mindy zich daardoor wat ongemakkelijk voelde, verbaasde haar een beetje. Ze zou juist opgelucht moeten zijn dat de vrouw niet opeens achter hen opdook met nieuwe stekelige opmerkingen. Maar misschien was het altijd zo. De angst voor iets wat je niet zag, maar waarvan je wist dat het ergens in je buurt aanwezig kon zijn, was vele malen sterker dan de angst voor het gevaar dat je daadwerkelijk zag naderen. En blijkbaar zag ze Hannah als een gevaar.

Ze kreeg spontaan een visioen van zichzelf, zwemmend in de open zee, met een donkere schaduw die onder haar door gleed. Ze voelde de angst dat er iets was, wat ze niet kon zien. De link naar haar huidige situatie legde ze meteen.

Hannah was hier ook ergens. Dat moest wel. Een vrouw als Hannah miste geen belangrijke lezing. Maar ze liet zich niet zien. Ze bewoog zich voort onder de oppervlakte, om opeens tevoorschijn te komen op een moment waarop Mindy dat het minst verwachtte en haar dan de dodelijke klap toe te dienen. Een klap die zijn weerga niet kende.

Ze probeerde de spanning van zich af te zetten en concentreerde zich op de spreker, die vertelde dat Fynn later zou arriveren dan bedoeld en om die reden niet de eerste lezing voor zijn rekening kon nemen.

Het was duidelijk dat de spreker – uiteraard weer Lou Verhaagh omdat hij nu eenmaal de gastheer was – de tijd probeerde te rekken, terwijl de organisatie het programma koortsachtig probeerde aan te passen.

Iemand ging voor het podium staan en trok de aandacht van Lou. Een paar minuten praatten de mannen met elkaar en er ontstond onrust in de zaal. Mensen raakten met elkaar in gesprek, maakten grapjes of raakten geïrriteerd.

"Zou er iets aan de hand zijn?" vroeg Mindy fluisterend aan Ron.

"Misschien komt Fynn bij nader inzien niet opdagen. Hij schijnt nogal een zonderling te zijn, dus ik neem aan dat je alles van hem kunt verwachten."

"Dat zou nogal wat problemen opleveren voor de organisatie."

"Ik ben er bang voor. Fynn zou vanmorgen een representatie van het bedrijf en de historie houden en er een lezing aan koppelen over bedrijfsvoering als inleiding naar de veranderingen die hij wil doorvoeren, begreep ik gisteravond van Lou. Ik heb tijdens de borrel even met hem gepraat. Alles was al vastgelegd. De historie van het bedrijf kan iemand anders nog wel ter sprake brengen, maar bedrijfsvoering als inleiding voor de bedoelde veranderingen kan alleen Fynn doen, omdat niemand zijn plannen kent."

"Zou Fynn dan werkelijk zomaar iedereen in de steek laten?" vroeg Mindy vol ongeloof.

Fynn stond bekend als een geniaal zakenman. Ze kon zich niet voorstellen dat zo iemand op die manier met de belangrijke personen binnen de organisatie omging. Zelfs niet als hij normaal gesproken niet in de openheid trad.

"Onwaarschijnlijk. Maar misschien ziet hij het niet zo. Ik weet het eigenlijk ook niet." Ron keek nu eindelijk om zich heen en Mindy vroeg zich af of het gewone onrust was – die meer mensen in de zaal plaagde – of een zoektocht naar Hannah.

Lou schraapte zijn keel en trok daarmee weer de aandacht; ook die van Ron. Hij keek naar de mensen in de zaal. "Ik heb zojuist een bericht binnengekregen van bedrijf Noord."

Mindy meende dat Ron even verstarde.

"Hannah Verbaan, van Fynn Laitteet Noord, zou het voorwoord voor haar rekening nemen vandaag. Ze heeft daar gisteravond speciaal om gevraagd. Maar ze schijnt niet hier aanwezig te zijn. Noch is ze in haar kamer. Het is natuurlijk mogelijk dat ze de tuin in is gelopen of iets dergelijks, maar onze zoektocht heeft tot dusver niets opgeleverd. Heeft iemand haar vanmorgen nog gezien?"

Lou keek de zaal rond. Mensen mompelden en haalden haar schouders op.

Mindy dacht aan het gesprek van Ron met Hannah afgelopen nacht, maar Ron zei niets. Het was niet bepaald die ochtend geweest, maar toch…

Ron klemde echter alleen zijn lippen strak op elkaar en bleef recht voor zich uit kijken.

"Niemand?" vroeg Lou.

Niemand meldde zich.

"Ik neem aan dat ze een luchtje is gaan scheppen of iets dergelijks. Wellicht wist ze al dat Fynn vertraging had opgelopen. Maar mocht iemand haar treffen, dan stel ik het op prijs als ze zich bij de organisatie meldt," besloot Lou.

Weer klonk er een licht gemompel, wat als een instemming kon worden opgevat.

"Aanvankelijk zou juffrouw Verbaan een voorwoord doen, om daarna Fynn Virtanen zelf aan het woord te laten, maar de heer Virtanen is helaas door problemen in het luchtverkeer verlaat. Daarom wil ik nu het woord geven aan Dave Kelsing. Dave is al jaren verantwoordelijk voor de Public Relation en wil daarover het een en ander vertellen. Hij gaat daarbij vooral in op de vraag hoe jullie het gezicht van Fynn Laitteet in eigen bedrijf kunnen vertegenwoordigen."

Lou deed een paar passen achteruit en een lange, magere man met een blij gezicht beklom het podium. Het scherm achter hem stond al klaar en de laptop van Dave werd haastig aangesloten zodat hij zijn verhaal van sprekende beelden kon voorzien.

Mindy deed erg haar best om op te blijven letten terwijl Dave met het enthousiasme van een Tell Sell-verkoper zijn verhaal deed, maar ze kon het niet helpen dat haar blik af en toe toch rond gleed, op zoek naar Hannah.

Maar ze zag de vrouw nergens.

Koffie dronken ze in de ernaast gelegen zaal, waar ze ook de vorige avond bij elkaar waren gekomen voor een welkomstwoord, maar ook daar liet Hannah zich niet zien. Net zomin als tijdens het tweede deel van de lezing door Dave.

Mindy keek af en toe stiekem naar Ron, maar hij leek zich over Hannah niet druk te maken. Hij volgde vol interesse de lezingen en maakte aantekeningen.

Mindy maakte ook aantekeningen. Maar een samenhang in haar eigen aantekeningen kon ze niet ontdekken. Het verhaal van Dave wilde zich gewoon niet in haar hoofd nestelen of zich tot een logische samenvatting laten ordenen.

Tussen de middag werd een gezamenlijke lunch gereserveerd in het restaurant. Mindy vocht tegen de vermoeidheid. Ze had per slot van rekening erg weinig geslapen en gemerkt dat haar ogen tijdens de lezing een paar keer dichtvielen.

Ze had van alles verzonnen om wakker te blijven; ze had met haar tenen gewiebeld – een voor een – onopvallend in haar eigen benen geknepen, buikspieroefeningen gedaan in de vorm van het intrekken van de buik en weer loslaten, haar pols gevoeld, met haar tong haar tanden gecontroleerd en met haar ogen gedraaid. Ze hoopte dat Ron niets van dat alles had opgemerkt.

Misschien was hij zelf ook moe. Hij had tenslotte ook een deel van de nacht rondgewandeld. Maar als dat al zo was, dan liet hij dat niet merken. Geen enkele keer kon ze hem betrappen op een moment van afwezigheid, tijdens de lange, lange lezing.

Mindy loog toen ze hem gelijk gaf, op weg naar het restaurant, in de stelling dat Daves lezing erg boeiend was geweest. Dave was goed begonnen met een paar grapjes, maar daarna redelijk slaapverwekkend geworden. Maar dat kon natuurlijk ook aan haar liggen.

Dat moest wel. Want tijdens de lunch praatte Ron ook met de andere deelnemers over de lezing en iedereen was onder de indruk. Iedereen behalve zij. Typisch weer iets voor haar.

Omdat Mindy op een bepaald moment bang was dat ze voorover in haar kop koffie zou vallen, om vervolgens bellen blazend in slaap te vallen, stond ze met een gemompeld excuus op om naar het toilet te gaan.

Ze hoefde nota bene niet eens. Ze was tenslotte tijdens de lezing al twee keer opgestaan om het toilet te gebruiken omdat haar hoofd anders van haar nek zou tollen. Maar ze had gewoon weer even een momentje voor zichzelf nodig. Al was het maar om haar lijf weer tot leven te wekken. Voor zover dat nog mogelijk was.

Alsof hij erop had zitten wachten, liep ze Armando weer tegen het lijf. Hij leek net op weg naar het restaurant. Hij droeg zijn tuinbroek natuurlijk weer, met daaronder een roze T-shirt. Dit keer geen bolhoedje, maar een hoge hoed uit vervlogen tijden. Het stond hem nog leuk ook.

"Je ziet er moe uit," merkte Armando op, na een veel te opgewekte begroeting.

"Ik ben moe," gaf Mindy toe. "Ik heb tenslotte nauwelijks geslapen."

"Dan zal het wel niet meevallen om die saaie lezingen te volgen."

"De lezingen zijn niet saai. Ze zijn interessant en van groot belang," dreunde Mindy op.

Armando grijnsde. Het was duidelijk dat hij haar niet geloofde en dat irriteerde haar een beetje. Zelfs als hij volkomen gelijk had.

"Er schijnt trouwens iemand te zijn verdwenen," veranderde Mindy haastig van onderwerp. "Ze vertelden dat tijdens de lezing. De vrouw stond gisteravond op het terras in de binnentuin met Ron te praten, toen wij aan die lange tafel zaten. Ik weet zeker dat je haar hebt gezien."

Armando haalde zijn schouders op, maar ze zag weer die typische trek op zijn gezicht die iets van irritatie of iets dergelijks uitdrukte. Ze had hetzelfde gezien toen hij aan die tafel naar buiten had gekeken. Naar Hannah en Ron.

"Die blonde," drong Mindy aan. "Ze heet Hannah Verbaan. Misschien ben je haar nog ergens tegengekomen, aangezien je door het hele hotel wandelt?"

Hij schudde zijn hoofd. De trek op zijn gezicht was nog niet verdwenen.

"Ken je haar eigenlijk?" vroeg Mindy toen. Ze keek Armando onderzoekend aan.

Armando liet zijn blik even afdwalen naar buiten. "Ze zal wel weer opduiken," zei hij toen. Hij knipoogde even naar haar en liep verder.

Mindy keek hem na.

Ze wist nu vrijwel zeker dat Armando Hannah kende. Maar ze begreep niet waarom hij daarover niets kwijt wilde. In dat opzicht leek hij Ron wel. In ieder ander opzicht vertoonde hij geen greintje gelijkenis met haar baas.

Ze zuchtte diep en liep naar het toilet.

In één ding had Armando gelijk. Hannah zou wel opduiken. Dat deden dergelijke vrouwen altijd. Misschien was ze wel met opzet verdwenen om de aandacht op zichzelf te vestigen. Typisch iets voor dat soort vrouwen, bedacht Mindy kwaadaardig. Dat vrouwen als Hannah toch wel aandacht kregen, schoof ze gemakkelijkheidshalve maar aan de kant.

Ze weerstond de neiging om koud water in haar gezicht te plenzen, aangezien haar make-up daar waarschijnlijk niet tegen opgewassen was, maar liep even op en neer in de toiletruimte totdat ze voor haar gevoel haar lichaam weer enigszins bij bewustzijn had gebracht en ging daarna terug om nog een flinke hoeveelheid koffie weg te werken.

De middag stond in het teken van workshops, wist ze. Wellicht was het dan net iets gemakkelijker om wakker te blijven dan tijdens het luisteren naar een lezing. Bij een workshop werd je tenslotte actief betrokken. Ze liep dan ook met hernieuwde moed terug naar de zaal, toen de tijd daarvoor aangebroken was.

Mindy bracht de workshopmiddag niet door met Ron. Ze had dat wel graag gewild, maar niet laten blijken. Dat zou trouwens niet hebben geholpen, want Dave was van mening dat het juist zo interessant was om eens met totaal andere mensen van gedachten te wisselen en naar oplossingen te zoeken. De blijheid waarmee hij dat meldde, vond Mindy uitgesproken vermoeiend, maar ze deed alsof ze het een leuk idee vond.

Ze werden in groepjes ingedeeld en haar groepje nam met irritant enthousiasme deel aan de workshops die haar op dat moment niet konden boeien. Ze betwijfelde ernstig of er ook maar iets was, wat die dag haar aandacht zou kunnen vasthouden.

Ze wist heel erg goed dat het probleem bij haarzelf lag, maar ze kon het werkelijk niet helpen. Ze probeerde interesse te veinzen, maar had het gevoel daar jammerlijk in te mislukken. Ze was nooit erg goed geweest in toneelspelen.

Zo nu en dan was ze zich bewust van de blik die Ron haar toewierp. Dan knipoogde hij even naar haar, om zich meteen daarna weer op de taken van zijn groepje te storten. Ze zou willen dat ze zijn energie bezat. En misschien ook zijn ambitie. Want dat laatste had ze de afgelopen uren ergens verloren. En het leek erop dat ze het voorlopig niet zou terugvinden.

Het was vlak na de koffiepauze, toen een man die ze nog niet eerder had gezien haastig de zaal binnenliep. Hij was ergens rond de vijftig, meende Mindy, en zag er voor zijn leeftijd goed uit. Het stijlvolle pak dat hij droeg was ongetwijfeld duur en hij zou als manager in deze groep niet hebben misstaan. Maar Mindy geloofde niet dat hij deel uitmaakte van de bezoekers van het seminar. Dan was hij haar eerder opgevallen.

Het was juist zijn gejaagde manier van doen en zijn overduidelijke opwinding, die ervoor zorgde dat een groot deel van de aanwezigen zijn kant uit keek.

"Waar is ze?" riep hij. "Wie heeft haar gezien?"

Lou en nog een stevige dame in een donker pakje met de naam

Louise of Marieke of iets dergelijks liepen meteen naar de man toe en probeerde hem met kleine aanrakingen en zachte woorden te kalmeren, maar ze leken daar niet bijzonder goed in te slagen. Het merendeel van de deelnemers van het seminar had zijn aandacht van de workshop naar de man verlegd. Mindy liet haar groepje in de steek, liep naar Ron toe en tikte hem aan. "Wat is er aan de hand, denk je?"

Ron haalde zijn schouders op en bleef naar de drie mensen kijken, die met drukke gebaren duidelijk maakten dat ze in een discussie waren verwikkeld.

Het duurde eventjes voordat de hoofdpersonen van het ongewild opgevoerde toneelstuk blijkbaar tot een overeenkomst kwamen, maar de workshop werd niet meteen weer voortgezet. Lou beklom het podium.

"Mag ik even jullie aandacht?" begon hij. Een overbodige vraag, want hij had de aandacht al voordat hij daarom vroeg. "De heer Verbaan heeft zich zojuist bij ons gevoegd. De heer Verbaan is de echtgenoot van Hannah Verbaan, manager van het bedrijf Fynn Laitteet Noord, zoals jullie wellicht begrijpen. Hij is hier vanwege de verdwijning van Hannah. Ongetwijfeld hebben een aantal mensen gisteren met haar gepraat. Tijdens het welkomstwoord en de borrel die daarop volgde, was ze tenslotte aanwezig. Zoals ik vanmorgen al zei, is Hannah tegen alle verwachtingen in niet komen opdagen en ik ging – en ga – er nog steeds van uit dat ze zich even had teruggetrokken. De heer Verbaan is echter hierheen gekomen omdat het hem niet lukt om contact op te nemen met zijn vrouw en het personeel van het hotel kon vertellen dat ze ook niet in haar kamer is. De heer Verbaan maakt zich zorgen en wil graag weten wanneer Hannah voor het laatst gezien is."

De heer Verbaan nam ongevraagd het woord van Lou over, voordat deze zich dat realiseerde en plaatste een voor Mindy's gevoel wat dramatische oproep.

"Ik maak mij zorgen om mijn vrouw. Ze is niet alleen niet bereikbaar, maar heeft al haar spullen in haar kamer achtergelaten, tot en met haar telefoon. Het is niets voor Hannah om haar kamer zonder telefoon te verlaten. Ik ben dan ook bang dat er iets is gebeurd en ik wil ieder van jullie dringend verzoeken om de ogen open te houden. Ik heb hetzelfde verzoek aan het personeel van het hotel gedaan en ik heb zelfs de politie al gesproken. Officieel kunnen ze het nog niet als een vermissing behandelen aangezien er nog geen vierentwintig uur zijn verstreken, maar ze hebben toegezegd hierheen te komen voor een gesprek. Als iemand van jullie weet waar Hannah is…" Hij brak af in een soort snik.

"Tjonge," mompelde Mindy. Ze wierp Ron een zijdelingse blik toe, maar hij reageerde niet. Hij staarde slechts strak voor zich uit.

"En dan te bedenken dat we haar gisteren op het terras nog spraken," zei Mindy, terwijl ze Ron taxerend bleef aankijken. Hij knikte alleen.

"En ik heb haar gisteravond bij de borrel ook gezien," ging Mindy verder, terwijl ze Ron nog steeds in de gaten hield. Hij knikte opnieuw alleen maar.

"En heb jij gisteravond niet nog met haar gepraat?" polste ze toen.

Hij leek even te verstarren en keek haar vragend aan.

"Na de opening," verklaarde Mindy haastig. "Ik zat aan die lange tafel in de hal vanwege de hoofdpijn, weet je nog? Ik zag je door het raam met haar praten."

"Oh ja. Natuurlijk. Ik heb gisteravond met zoveel mensen gepraat. Ik stond er niet meer bij stil." Hij leek opgelucht.

Mindy bleef hem een paar tellen onderzoekend aankijken. Ze hoopte nog steeds dat hij uit zichzelf over afgelopen nacht begon, maar dat deed hij niet. Ze had geen idee waarom hij dat verzweeg – uitgerekend nu – en vroeg zich af of ze er zelf over moest beginnen. Maar er ontstond zoveel onrust om haar heen, dat ze besloot er op dat moment niets over te zeggen. Wellicht zou hij het later aanstippen, als ze alleen waren.

Het kwam bij haar op dat Ron zijn redenen had om zijn nachtelijke ontmoeting met Hannah niet te noemen in het bijzijn van Hannahs partner. Maar dat zou betekenen dat Hannah nog steeds deel uitmaakte van zijn leven. Of was dat alleen maar het geval geweest ergens in het verleden, in een tijd waarin Hannah al met deze man samen was geweest?

Mindy wist het niet en probeerde er niet meer over na te denken. Nu Verbaan zijn zegje had gedaan, nam Lou het woord weer over en vroeg of er nog iemand in de zaal aanwezig was die na de bijeenkomst van de vorige avond Hannah Verbaan had gezien of gesproken. Niemand meldde zich. Ook Ron bleef zwijgen.

"Mocht iemand nog iets te binnen schieten, dan hoor ik dat graag," besloot Lou. Daarna stelde hij voor om de workshop te hervatten en verliet hij het podium weer.

De poging om de workshop te hervatten bleek echter tevergeefs. Niemand leek voldoende interesse en concentratie aan de dag te leggen en de man van Hannah liep nog steeds als een geplaagde klopgeest rond en stelde vragen. Om vier uur werd besloten dat de workshop beter kon worden afgebroken.

"Kan ik je nog een drankje aanbieden?" vroeg Ron toen ze met de mompelende stroom mee de zaal verlieten.

Mindy knikte. Misschien zou hij nu over afgelopen nacht beginnen. Ze merkte dat ze daar werkelijk op hoopte. Als hij geen verklaring gaf, bleef haar brein rare verhalen verzinnen. Ze wilde geen rare verhalen over de man op wie ze verliefd was. Ze wilde een 'ze leefden nog lang en gelukkig'.

Ze zag de man van Hannah met twee politiemannen praten in het zitje bij de hoge ramen, schuin tegenover de ingang van de zaal, toen ze daar voorbijliepen, en vroeg zich af hoe serieus de verdwijning van Hannah werd genomen. Ze kon zich niet voorstellen dat er werkelijk iets was gebeurd met de jonge, akelig zelfverzekerde vrouw, maar misschien wílde ze het ook gewoon niet weten. En misschien had dat alles te maken met het gesprek tussen Ron en Hannah de afgelopen nacht, waarvan ze getuige was geweest en waarover Ron zo overduidelijk niet wilde praten.

Ze liep met Ron mee naar de bar en zwaaide even wat onhandig naar Armando, die op het hoekje van de lange bank tegen de muur, net voorbij de bar, een likeurtje dronk. Hij groette haar terug, maar leek meteen weer in zijn eigen gedachten te zinken. Hij staarde voor zich uit, alsof het terras buiten was gevuld met vreemde spoken. Was zijn creatief brein aan het werk of had zijn afwezigheid ook met Hannah Verbaan te maken? Kende hij haar? Het leek onwaarschijnlijk, maar zijn reactie had in die richting gewezen, meende ze. Of had ze nu werkelijk te veel fantasie?

Mindy en Ron gingen niet naar het terras – waar het merendeel van de deelnemers was neergestreken voor een drankje – maar namen aan het tafeltje in de hoek, rechts van de bar, plaats. Het was Rons keuze en Mindy ging zwijgend akkoord.

Hij bestelde een wijntje voor hen allebei. Hij had ook daarover geen vragen gesteld, maar Mindy vond het best. Ze vond alles best, als hij eindelijk maar eens zijn mond opendeed over de afgelopen nacht.

Ze dronk normaal gesproken overdag niet, maar vandaag was een uitzondering. Ze had het gevoel dat ze wel wat spraakwater kon gebruiken. Al was het maar om de vraag te stellen die op haar lippen lag, als hij daar wederom zelf niet mee kwam. Misschien kon ze dat zelfs beter meteen doen. Anders bleef ze rare spookbeelden zien.

Toen ze echter tegenover elkaar aan het tafeltje zaten, bleef de vraag ergens in haar keel hangen. Hij wilde er eenvoudigweg niet uit komen. Ron zat dicht bij haar. Hij keek haar af en toe even aan en er lag iets in die blik wat haar week maakte. Nu was het voor haar geen uitzondering om knikkende knieën te krijgen als Ron haar recht aankeek, maar dit keer was het sterker dan voorheen en leek het niet alleen om een puberale verliefdheid te gaan. Dat maakte het bijna onmogelijk om een gevoelige vraag te stellen. Blijkbaar. Niet helemaal.

Ze nipte aan haar wijn en schraapte haar keel. "Ik moet steeds denken aan dat gesprekje gisteren, hiervoor op het terras, met Hannah," wist Mindy uiteindelijk eruit te gooien. Ze moest tenslotte ergens beginnen als ze geen rechtstreekse vraag durfde te stellen. "Ik geloof dat ze mij niet mocht."

"Hannah mag heel veel mensen niet," antwoordde Ron min of meer automatisch.

"Jij kent haar, nietwaar?"

"Ja, natuurlijk."

"Ik bedoel eigenlijk dat je haar goed kent." Mindy voelde de trilling in haar eigen stem. Ze keek Ron aan. Haar lijf was gespannen.

Ron leek even na te denken. Toen knikte hij.

"Waren jullie... Ik bedoel, kennen jullie elkaar... nou ja, privé of zo?"

Ron glimlachte een beetje zuur. "We hebben iets met elkaar gehad."

"Oh." Mindy besefte dat ze dat eigenlijk meteen had begrepen. Maar nu ze het Ron hoorde zeggen, merkte ze dat het haar kwetste. "Lang?"

"Nee. Niet lang. Heftig. Dat wel."

Dat wilde Mindy dan weer niet weten. Ze knikte haastig, bang dat hij meer daarover zou vertellen.

"Hannah is een feeks," zei hij toen. Mindy schrok een beetje van de scherpte in zijn stem. Een hereniging tussen hem en Hannah kon ze blijkbaar uitsluiten.

"Ze lijkt mij niet zo gemakkelijk, nee," gaf ze voorzichtig toe. Ron lachte opnieuw. Dit keer hardop, met een kort, wat stacca-to geluid. Het klonk niet vrolijk. "Ze is een regelrechte feeks. Een kreng. Ik had daarvan een vermoeden toen ik iets met haar begon en misschien had het op dat moment een bepaalde aan-trekkingskracht, maar ik had toen nog geen idee van haar ware aard."

"Maar later begreep je hoe ze was?"

"Ja. En dat maakt ze keer op keer opnieuw duidelijk."

Mindy keek hem vragend aan.

"Ze wil de functie van Lou overnemen."

"Lou heeft toch al aangegeven dat hij jou zal adviseren als op-volger?"

"Ja. Maar Hannah heeft haar eigen manier om dingen gedaan te krijgen. Ze heeft haar uiterlijk mee en ze heeft haar manieren om informatie over de mensen in te winnen van wie ze iets ge-daan wil krijgen. Met name informatie die mensen liever niet openbaar maken. En ze is absoluut niet bang om die informatie vervolgens in haar eigen voordeel te gebruiken."

"Ah bah."

"Eric heeft geen idee."

"Eric?"

"Haar nieuwste overwinning. Haar man."

"Je kent hem?"

"We hebben elkaar in het verleden nogal eens getroffen."

"Hij lijkt nogal gek op haar te zijn."

"Ja. De stakker."

"Waarom? Ze kunnen toch best gelukkig zijn samen? Misschien is ze tegenover hem heel anders."

"Alleen zolang ze hem kan gebruiken. Eric is een van de grootste leveranciers van Fynn Laitteet en een vermogend en invloedrijk man. Hij is nuttig voor haar."

"Goed… toegegeven… ik mag haar ook niet bijzonder. Maar dat klinkt wel heel erg hard."

Ron haalde zijn schouders op.

Het was een poos stil en Mindy beet nerveus op haar nagels. Ze was nochtans geen nagelbijter, maar nood brak wetten. En zomaar opeens noemde ze het toch. "Ik zag je afgelopen nacht met haar praten."

Hij verstarde. De kleur trok weg uit zijn gezicht, toen hij zich naar haar omdraaide.

Mindy schrok van die reactie, maar ging toch door. "Ik werd wakker en je was er niet. Ik dacht dat je niet kon slapen en wellicht in het hotel rondliep of misschien de tuin was binnengegaan en besloot te kijken waar je was." Ze beet nog maar een keer op haar nagels. Ze smaakten nergens naar en ze begreep niet dat mensen daar verslaafd aan konden raken. Maar het leidde de spanning een beetje af. "Ik zag je met haar in de tuin."

"Waarom zeg je dat nu pas?" vroeg Ron.

Ze kon niet opmaken of hij boos, verbaasd of nerveus was. Ze haalde haar schouders op.

Ron leek een paar tellen in gevecht met zichzelf. Toen knikte hij.

"Waarom zeg je dat niet tegen die man van haar? Tegen Eric?" vroeg Mindy. Ze was nu toch bezig. "Of tegen de politie of zo."

"Omdat het belachelijk is dat hij de politie inschakelt. Zeg nu zelf… wat kan haar hier gebeuren? Ze duikt ongetwijfeld op. Waarschijnlijk samen met Fynn Virtanen of iets dergelijks. Het zou mij niet verbazen als ze hem bij de ingang van het hotel heeft opgewacht om bij hem in de gunst te komen en zo haar promotie naar de functie van Lou af te dwingen."

"Dat meen je niet?" reageerde Mindy verbijsterd.

"Je hebt geen idee…"

"Zei ze dat vannacht?"

"Ze maakte duidelijk dat ze die functie zou krijgen. Hoe dan ook. En ik ken haar."

"Sprak ze je daarom aan?" Mindy ging er voor het gemak maar even van uit dat Hannah het initiatief van het nachtelijk gesprek had genomen, zoals hij toch al min of meer suggereerde.

"Ze probeerde mij te versieren. Dat is meestal haar eerste tactiek. En toen dat niet werkte, maakte ze duidelijk dat ik geen schijn van kans had wat die functie betreft en dat ze zou doen wat nodig was om de scepter van Lou over te nemen. Desnoods zou ze duidelijk maken dat ik mij ophield met mijn assistente en alleen al om die reden wilde doorstromen; om jouw het recht te geven op mijn functie."

"Wat?" Mindy voelde verbijstering en woede.

"Ze suggereerde dat ze tegenover Fynn duidelijk kon maken

dat jij via mijn bed hogerop probeerde te komen en dat ik blijkbaar met een ander lichaamsdeel nadacht dan met mijn hoofd
en daarmee het bedrijf in gevaar bracht."

"Hè?"

"En ze maakte duidelijk dat ze al een blik in jouw geschiedenis
had geworpen, die dat verhaal ondersteunde. Ze wist onder andere al dat je niet de gewenste opleiding hebt en alleen al om
die reden niet als vanzelfsprekend in een functie als manager
terecht zult komen."

"Ik heb altijd mijn werk goed gedaan en…"

"Dat weet ik," onderbrak hij haar. "Mij hoef je niet te overtuigen."

Mindy kleurde. "Nee, natuurlijk niet."

"Ik weet dus niet waar ze op dit moment is, maar ik vermoed zo
dat ze Fynn heeft opgevangen om een boekje open te doen over
jou en mij."

"Maar Fynn had vertraging door het vliegverkeer," bracht Mindy hem in herinnering.

"Niemand weet hoeveel vertraging. En als het haar nog niet gelukt is om Fynn op te vangen, graaft ze momenteel waarschijnlijk verder in jouw historie om haar punt straks duidelijk te on-
derbouwen."

"Maar dat kan ze toch niet zomaar doen?"

Ron glimlachte bitter.

"Tjonge." Mindy nam een stevige teug wijn. Natuurlijk had ze
Hannah vanaf het begin niet gemogen, maar ze had nooit verwacht dat het werkelijk zo'n kreng was.

Wat zou Hannah ontdekken als ze werkelijk in haar geschiedenis zou graven? Was er iets wat voor problemen kon zorgen, vroeg Mindy zich af. Ze had nooit iets strafbaars gedaan. Ze was altijd braaf naar school gegaan, had haar havodiploma gehaald, verschillende baantjes gehad en cursussen gedaan. Ze had inderdaad niet de opleiding gedaan die als eis werd gesteld als Fynn Laitteet iemand van buitenaf voor een dergelijke functie zocht, maar ze had praktijkervaring. En ze had altijd hard gewerkt. Heel erg hard. Maar of dat uiteindelijk voldoende was?

Mindy vroeg zich af wat er gebeurde als ze geen promotie kreeg; als ze in de functie van assistent zou blijven. Ze probeerde zichzelf voor te houden dat het niet uitmaakte, maar ze besefte dat ze eigenlijk al op die functie rekende, zelfs als ze dat tegenover niemand, zelfs niet tegenover zichzelf, had toegegeven. Niet hardop tenminste. Al had ze, als ze nu eerlijk was, wel al wat opmerkingen tegenover haar moeder en zussen geuit, die een promotie suggereerden. Die verleiding was te groot geweest.

Ze zou zich doodschamen als het nu niet doorging, begreep ze nu. De zoveelste mislukking. En dat niet alleen. Ze zou zich ook doodschamen over de reputatie die ze kreeg als Hannah het gerucht verspreidde dat Mindy zich via Rons bed op probeerde te werken. Het deed er niet toe dat mensen haar beter kenden dan dat. Waar rook is, is vuur, werd altijd gezegd. Dat zouden ze ook in die situatie zeggen.

Tegelijkertijd schaamde ze zich erover dat ze alleen aan haar eigen problemen dacht; aan haar eigen naam en haar eigen promotie. Alsof dat nu een grote rol speelde. Voor Ron lag het allemaal veel moeilijker. Wie wist wat dat mens in haar schild voerde om hem zijn toekomst te ontnemen?

Ze dronk haar glas maar leeg en drukte de irritatie die ze voelde weg.

Ron was natuurlijk in zijn eigen gedachten verzonken en zwijgzaam. Toen hij een tweede glas wijn voor hen allebei ging halen, protesteerde Mindy niet. Zelfs niet nu ze eigenlijk aan één glas al genoeg had.

HOOFDSTUK 8

Tijdens het gezamenlijke diner werd het opeens onrustig. Iedereen mompelde opgewonden met elkaar en mensen keken gespannen om zich heen.

Mindy begreep dat er iets aan de hand was, maar het werd pas echt duidelijk toen Ron haar aanstootte. "Fynn Virtanen schijnt hier te zijn."

Ze keek hem verbijsterd aan. "En Hannah?"

Ron haalde zijn schouders op.

Onwillekeurig keek Mindy rond. Ze zag Hannah nog steeds nergens. Maar misschien was ze werkelijk in Fynns gezelschap? "Waar is Fynn dan?"

"Geen idee, maar hij schijnt vanavond zijn lezing te doen. Om halfnegen."

"Ah, in plaats van de pr-lezing van Dave. Die hebben we tenslotte al gehad."

Ron knikte.

Mindy vroeg zich af hoe ze zich in hemelsnaam moest concentreren op een lezing na alles wat er was gebeurd. Het scheen haar onmogelijk toe. In haar hoofd heerste chaos. Bovendien was ze doodmoe. Nog een hele avond naar het monotone geluid van een toespraak luisteren en wakker blijven, leek helemaal buiten haar bereik. Ze onderdrukte onwillekeurig een opkomend gegaap. Ze schaamde zich voor haar verwardheid en vermoeidheid. Aan Ron was niets te merken.

Ze verwachtte dat Hannah rond de avond alsnog zou opduiken,

waarschijnlijk met informatie waarop Ron en zij niet zaten te wachten, of in gezelschap van Fynn. Mogelijk beide. En dat was dan meteen nog een reden om tegen de avond op te kijken. Met een wat zwak excuus trok ze zich tussen diner en avondlezing nog even terug op haar kamer. Ze werkte haar make-up bij en deed wat gymoefeningen in de hoop op andere gedachten te komen en wakker te blijven.

Dat lukte thuis altijd, als ze te laat eraan dacht om haar dagelijkse oefeningen te doen en dan niet meer in slaap kon komen vanwege de bijna onvergeeflijke zonde haar gymoefeningen niet te doen. Maar aangezien ze al tijdens de buikspieroefening bijna in slaap viel toen het haar eindelijk lukte om een paar tellen niet te piekeren, liet ze die hoop op verbetering uiteindelijk ook maar varen en hield ze er halverwege mee op. Ze kon toch al niet het risico lopen dat ze ging transpireren.

Ze trok haar kleding recht en controleerde make-up en kapsel nog een laatste keer toen het tijd werd om te gaan, en vertrok pas toen ze niets anders meer kon verzinnen. Ron was ook naar zijn kamer gegaan, wist ze, en ze zou hem bij de zaal treffen. Ze hadden niet echt iets afgesproken. Hij had slechts gemompeld: 'Ik zie je straks in de zaal wel.'

Weg romantiek. Ze haatte Hannah Verbaan.

Mindy nam de trap naar beneden en liep Armando daarbij weer tegen het lijf. Het was onvoorstelbaar hoe vaak je dezelfde persoon tegen het lijf kon lopen in een hotel, vond ze.

Armando maakte nog steeds een wat afwezige indruk, maar toen ze hem bijna voorbij was gelopen, noemde hij haar naam.

Ze wendde zich tot hem en keek hem vragend aan.

"Weten ze al meer over Hannah Verbaan?" vroeg hij.

Mindy keek hem verbijsterd aan. Dus toch. "Ken je haar?"

"Weten ze al waar ze is?"

"Nee."

"Oh." Hij draaide zich om en liep door, zonder verdere uitleg te geven.

Mindy staarde hem na.

Eigenlijk wist ze al vanaf het begin dat Armando Hannah kende. Ze had het gemerkt. Maar het had zo onlogisch geleken. Nu wist ze het zeker. Armando kende Hannah en niet alleen dat. Op de een of andere manier waren er emoties bij betrokken, die ze niet kon plaatsen.

Toen Armando alweer lang uit het zicht was verdwenen, ging Mindy naar beneden. Ron trof ze bij de ingang van de zaal. Hij zag er voor het eerst gespannen uit, zag ze. Maar wellicht zag hij minstens zo erg op tegen een ontmoeting met Hannah als zij.

Alsof ze steun bij elkaar zochten, liepen ze zij aan zij de dr. Hub J. van Doorne-zaal binnen. Op het podium stond een man die ze nog niet kende: lang, blond en met een getekend gezicht en heldere ogen die nieuwsgierig taxerend de zaal in keken. Hij stelde zich bij de opening van de lezing voor als Fynn Virtanen.

Van Hannah was er echter nog steeds geen spoor en dat veranderde niet tijdens de lezing. Mindy had verwacht dat het voor opluchting zou zorgen, als Hannah niet verscheen. Maar nu besefte ze dat het tegendeel waar was.

Ze voelde onrust die ze niet kon plaatsen. Of misschien niet wílde plaatsen. Ze zag Ron en Hannah steeds weer voor zich. Ze waren in een heftige discussie verwikkeld geweest, die nacht. Ron had dat nu ook eerlijk bekend en zijn uitleg gegeven, maar het zat haar niet lekker. Het was vooral het feit dat hij die uitleg niet aan Hannahs man of de politie gaf. Bijna alsof hij iets te verbergen had.

Mindy vroeg zich af hoelang het duurde voordat de politie vragen ging stellen. En of Ron dan zou vertellen dat hij haar als laatste had gezien. Ze vroeg zich ook af wat ze zelf zou doen als de politie hun vragen op haar zouden afvuren. Of ze zou vertellen wat ze die nacht had gezien en wat ze wist over Ron en Hannah. Ze overwoog zowaar te zwijgen over haar nachtelijke tocht in het hotel, als de eerste vragen daarover kwamen. Maar ze besloot meteen dat het geen zin had. Het zou de situatie alleen maar verergeren. Per slot van rekening waren er meer mensen die wisten dat ze die nacht door het hotel had gelopen, zoals Armando, die twee jongens en de oude broeder. En toen ze zich dat realiseerde, begreep ze dat er dan ook meer mensen waren die mogelijk van Rons ontmoeting met Hannah af wisten.

Bovendien was Mindy nooit erg goed geweest in liegen. Ze geloofde dan ook niet dat ze de politie voor de gek kon houden. Als ze dat al zou willen. En als dat al zinvol zou zijn.

Meteen dacht ze weer aan Ron. Ze vertrouwde hem, maar ze wist dat niet iedereen dat zou doen. Haar bekentenis over de ontmoeting met Hannah kon verstrekkende gevolgen hebben. Niet alleen in verband met het onderzoek, maar ook voor zijn carrière. Maar als zij erover loog, kwam het uiteindelijk waarschijnlijk toch wel aan het licht. En dan zouden nog meer neuzen in Rons richting wijzen. En die van haar. Voor hetzelfde geld dachten mensen straks dat zij samen met Ron verantwoordelijk was voor Hannahs verdwijning. Als Hannah tegenover iemand had laten doorschemeren wat haar plannen waren, hadden zij en Ron allebei een motief. Het was natuurlijk een idiote gedachte dat Hannah iets was overkomen en dat zij en Ron daar de hand in hadden. Maar zouden mensen die haar en Ron niet echt kenden dat ook zo zien?

Waarom was die Hannah in hemelsnaam opgedoken? En erger nog... waarom was ze daarna opeens zomaar verdwenen?

Mindy's gedachten bleven in vreemde kringetjes rondcirkelen en tegen het eind van de lezing had ze geen enkel idee wat Fynn had verteld. Flarden van zijn lezing zweefden nog ergens rond in haar geheugen, maar ze kon er geen samenhangend geheel van maken.

"Boeiend, nietwaar?" zei Ron op weg naar buiten. "Hij weet het zo verdraaid goed te brengen. Het klinkt allemaal zo logisch..." De bewondering in zijn stem was duidelijk hoorbaar. Blijkbaar had hij niet hetzelfde probleem ervaren als zij. Hoe was het mogelijk?

Natuurlijk gaf Mindy hem gelijk. Tegelijkertijd begreep ze absoluut niet hoe hij zijn gedachten bij die lezing had kunnen houden terwijl Hannah Verbaan was verdwenen en hij de laatste was geweest die haar had gezien. Maar bij Ron kwam het werk altijd op de eerste plaats. Dat was altijd al zo geweest. Hij kon gewoon ieder persoonlijk probleem van zich afzetten en zijn concentratie volledig op het werk richten, als dat nodig was. Ongeacht wat er in zijn eigen leven gebeurde. Juist die eigenschap maakte hem zo geschikt voor een functie als manager en ongetwijfeld voor de functie van hoofd van de hele landelijke afdeling van de organisatie.

Mindy had zichzelf altijd voorgehouden dat het werk ook bij haar op de eerste plaats kwam en zowel haar ouders, haar zussen en Ron hadden dat volkomen normaal gevonden. Ze was ervan overtuigd geweest dat ze dat zelf ook normaal vond, maar nu twijfelde ze daaraan. En nu besefte ze dat ze daar vaker aan had getwijfeld. Een gedachte die ze haastig van zich afschoof.

De hele groep mensen liep ondertussen richting bar. Blijkbaar voelde niemand er iets voor om de hotelkamer op te zoeken en dat was niet zo vreemd. Het was nog niet eens elf uur en na het opdoen van veel informatie, wilde de slaap meestal toch niet meteen komen. Een laatste borreltje en een ontspannen gesprekje lag dan voor de hand.

Ron en Mindy volgden de groep als vanzelfsprekend.

Mindy zag vrijwel meteen Eric Verbaan in een hoekje zitten, met een glas whisky voor zijn neus. Hij leek in gedachten verzonken, maar toen de deelnemers van het seminar hem passeerden, keek hij hen duidelijk misnoegd aan.

Lou Verhaagh en de dame die eerder met hem had gesproken en

Louise of Marielouise of iets dergelijks heette, namen aan zijn tafeltje plaats en spraken hem op gedempte toon aan.

Hoewel Mindy en Ron aan de bar plaatsnamen en daarmee niet al te ver van het tafeltje zaten, kon Mindy niet verstaan wat ze zeiden. Maar ze zag aan de mimiek en bewegingen dat het een rustig gesprek was, gespekt met bemoedigende woorden van Lou en de dame. Eric zag er niet uit alsof hij zich volledig gerust liet stellen. Maar het leek er net zomin op dat hij een scène zou schoppen.

Terwijl Mindy en Ron een glaasje wijn dronken, herhaalde Ron frases die Fynn had gebruikt en analyseerde die hardop. Hij noemde de mogelijke toepassingen binnen zijn eigen bedrijf, maar liet het woord 'promotie' niet meer vallen. Dat was ook het enige waaruit ze opmaakte dat hij Hannah niet was vergeten.

Mindy deed alsof ze alles wat hij vertelde volkomen begreep – wat absoluut niet het geval was, aangezien ze een groot deel van de lezing had gemist en haar hoofd niet naar behoren werkte – en enorm boeiend vond. Haar eigen inbreng hield ze evenwel beperkt. Een poging tot actieve deelname aan het gesprek of zelfs een discussie uitlokken, zou onmiddellijk duidelijk maken dat ze geen flauw idee had waar hij het over had. Ron leek het niet te merken. Hij was volop aan het werk. Onvoorstelbaar bij alles wat er gebeurde, vond Mindy. Misschien bewonderde ze hem daardoor alleen nog maar meer.

Ron was overigens niet de enige die de lezing nog een keer losjes doornam. Om hen heen bespraken managers de belangrijke punten van de lezing en discussieerden over de toepassingen die Fynn had genoemd. Andere deelnemers hadden een vrolijker onderwerp gevonden om over te praten en lieten luidruchtig hun mening horen. Gemompel, geruis, discussies en lachsalvo's vulden de bar en het overvolle terras en Mindy had het gevoel dat haar hoofd in duizend stukjes zou springen als ze nog meer tijd in de drukte moest doorbrengen.

Ze probeerde het te negeren, terwijl ze gebiologeerd naar Rons mond keek, die onophoudelijk bewoog terwijl hij zijn betoog hield. Een leuke mond, overigens. Een liefdevolle mond, die haar nog maar zo kort geleden had gekust. Onder andere omstandigheden had ze met liefde en plezier alleen maar naar die mond gekeken, maar nu werd het haar te veel. Het geluid van de stemmen dreunde in haar hoofd als de solo van een houthakker die Thomas Lang probeerde te evenaren. "Ik ben kapot, Ron," bekende ze. "Ik denk dat ik beter naar bed kan gaan. Ik heb afgelopen nacht niet zo goed geslapen en morgen is weer een nieuwe drukke dag." Haar gepieker over Hannah noemde ze niet.

"Natuurlijk," zei Ron meteen. "Je hebt volkomen gelijk. Ik praat maar en praat maar, terwijl je zichtbaar doodop bent. Ik loop met je mee naar de kamer. Is dat goed?"

"Ja, natuurlijk." Ze vond het prettig dat hij met haar meeging. Ondanks Hannah. Ondanks de verhalen die de ronde konden doen. Misschien onverstandig, maar het was gewoon zo. Zijn aanwezigheid was aangenaam en zorgde ervoor dat ze zich beschermd voelde. Bovendien had hij al gezegd dat hij haar leuk vond en dat hij meer in haar zag dan alleen iemand met wie hij werkte. En was dat niet waarvan ze altijd al had gedroomd?

Eenmaal bij de deur kwam de onvermijdelijke vraag van Ron of ze samen iets zouden drinken. Een laatste glaasje wijn wellicht?

Mindy twijfelde. Ze begreep zelf niet helemaal waarom. Had ze niet jaren hiervan gedroomd? Ze gaf haar vermoeidheid de schuld en stond op het punt om aan te geven dat het dit keer wellicht niet zo'n goed idee was – ook al vanwege de mogelijke insinuaties die Hannah kon doen. Als ze opdook… als ze werkelijk opdook. Mindy rilde even. Maar toen keek ze in zijn ogen en zag dat hij werkelijk behoefte had aan gezelschap.

Ze gaf toe.

Dit keer zouden ze in haar kamer iets drinken. Ron haalde de wijn van de vorige avond uit zijn eigen kamer en was binnen een paar minuten terug. Hij had zijn pak verruild voor de comfortabele joggingbroek en Mindy had haar pyjama aangetrokken. Hij kende nu haar zuurstokkenpyjama, dus hoefde ze zich daarvoor niet meer te schamen. Althans niet zo heel erg.

Ze gingen samen op het bed zitten en hij schonk haar en zichzelf in, terwijl hij de vrijheid nam een of ander muziekprogramma op haar televisie tevoorschijn te toveren.

Ze proosten op een leerrijke laatste dag en nipten aan de wijn.

Als Mindy eerlijk was, moest ze toegeven dat ze tegen de laatste seminardag opzag. De lezing van Dave was slaapverwekkend geweest en van Fynns verhaal had ze nauwelijks iets meegekregen. Natuurlijk speelde haar vermoeidheid en de verdwijning van Hannah daarin een rol, maar ze wist niet zeker of het volkomen anders was geweest als er verder niets was gebeurd. Ze nam zichzelf dat kwalijk. Wat mankeerde haar dat ze dergelijke belangrijke zaken niet waardeerde? De functie die voor haar lag, vergde kennis. De juiste opleiding had ze niet. Ze moest het van haar ervaring en van dit soort informatie hebben. En als ze dan de kans kreeg om zoveel wijzer te worden, ging alles gewoon langs haar heen. Alsof haar brein vanbinnen met olie was ingevet en ervoor zorgde dat niets, maar dan ook helemaal niets, bleef hangen.

Ze nam zich voor de volgende dag – tevens de laatste dag van het seminar – beter op te letten. Ongeacht wat er gebeurde. Overmorgen was er tenslotte alleen nog een gezamenlijk ontbijt en konden ze naar huis. Dan had ze meer dan genoeg tijd om uit te rusten.

"Pieker je ergens over?" vroeg Ron.

Mindy realiseerde zich dat ze met het glas in haar handen voor zich uit zat te staren, zonder echt iets te zien. "Eh… nee."

Hij keek haar onderzoekend aan. "Ik geloof je niet."

"Het is niets. Ik ben gewoon een beetje moe."

"Natuurlijk ben je moe. Het was een lange dag en je hebt slecht geslapen. Kom." Hij legde zijn arm om haar schouders en trok haar tegen zich aan. Het voelde warm en aangenaam.

Ze vroeg zich af of zij en Ron nu definitief iets met elkaar hadden. Uit zijn woorden kon ze een dergelijke conclusie trekken, maar was alles nog hetzelfde als ze weer naar huis gingen?

Ron kriebelde haar arm en Mindy liet haar hoofd tegen zijn

schouder zakken.

"Je weet toch dat ik je werkelijk erg leuk vind?"

"Dat vertelde je."

"En dat ik niet wil dat dit eindigt als we weer thuis zijn?"

Mindy keek hem aan. "Meen je dat? Wil je echt…"

"Natuurlijk meen ik dat. We kennen elkaar al een hele tijd en ik heb altijd veel waardering en bewondering voor je gehad; voor je doorzettingsvermogen en je ambitie. Vooral dat laatste zorgt ervoor dat jij als geen ander begrijpt hoe ik ben en wat belangrijk voor mij is. Maar volgens mij heb ik dat eerder ook al genoemd en val ik in herhaling."

"Je mag in herhaling vallen." Mindy voelde zich gevleid en legde haar hoofd weer tegen zijn schouder. Af en toe kwam ze een tikje overeind om een slokje wijn te nemen, om zich meteen daarna weer tegen zijn schouder te nestelen.

Ze keek naar de muzikanten op de televisie, toen ze toch weer opeens aan Hannah dacht. "Zou Hannah inmiddels weer terecht zijn?" vroeg ze zich hardop af. "Ik heb haar niet meer gezien. En dat terwijl Fynn wel op het seminar is verschenen."

"Geen idee." Het klonk een beetje kortaf.

"Heb je de politie of haar man verteld dat je haar afgelopen nacht nog sprak?"

"Nee, natuurlijk niet."

Mindy kwam een beetje overeind. Ze merkte dat het antwoord haar een beetje dwarszat, terwijl ze het toch werkelijk had geweten. Ze was tenslotte steeds bij hem geweest. "Maar ze vroegen toch of iemand haar nog had gezien?"

"Ik denk niet dat ze ermee opschieten als ze weten dat ik afgelopen nacht nog een gesprek met haar had. Voor zover je al over een gesprek kunt praten. En wellicht zoekt haar man daar dan meteen wat achter en daar zit ik niet op te wachten. Voor je het weet doen er allerlei verhalen de ronde en dat is wel het laatste waar ik nu behoefte aan heb."

"Maar als haar iets is overkomen?"

"Wat moet er hier nu gebeuren?"

"Weet ik niet. Misschien kon ze niet slapen en maakte ze een wandeling en gebeurde er toen iets."

"Iets?"

"Misschien viel ze of zo. Weet ik het." Dat was niet wat Mindy bedoelde. Maar datgene waar ze op doelde, wilde ze niet hardop noemen. Het klonk te absurd.

"Als ze gevallen was, hadden ze haar allang gevonden. Daar had ze dan wel voor gezorgd. Ik denk dat ze ertussenuit is."

"Zonder haar spullen en telefoon?"

"Met haar weet je het maar nooit."

"Hm. Toch wel vreemd. Gezien het feit dat ze op die promotie aasde."

Ron keek Mindy aan. Zijn gezicht kreeg een verbijsterde, wat wantrouwende uitdrukking. "Je haalt je toch niets in je hoofd, hoop ik?"

"Hoe bedoel je?" vroeg Mindy onzeker.

"Je denkt toch niet dat ik iets met haar verdwijning te maken heb?"

"Nee, natuurlijk niet," zei Mindy haastig. "Ik vind het alleen vreemd dat ze opeens is verdwenen en ik vroeg mij af of er iets is gebeurd. Je zei tenslotte zelf al dat ze tegen iedere prijs promotie wilde maken en dan ligt het gewoon niet voor de hand dat ze tijdens een seminar dat zo belangrijk voor haar is, verdwijnt. Maar ik weet uiteraard dat jij daar niets mee te maken hebt."

Hij bleef haar een tel taxerend aankijken. "Ze komt wel weer terecht," zei hij toen. "Het is gewoon typisch iets voor haar om zoiets uit te spoken. Wellicht wil ze aandacht trekken of iets dergelijks. Ze zal er wel winst uit halen, anders deed ze het niet."

Hij trok haar weer tegen zich aan en liet zijn vingers over haar arm glijden.

"Je vertrouwt me toch?" vroeg hij toen.

"Natuurlijk."

"Gelukkig." Hij boog zich zomaar opeens naar haar toe en kuste haar op de lippen. Eerst voorzichtig en toen hartstochtelijk.

Natuurlijk beantwoordde ze zijn kus, maar ze merkte toch dat ze zich een beetje ongemakkelijk voelde. Iets wat ze zelf nogal belachelijk vond.

Toen er geen einde aan zijn kus kwam en zijn handen opeens overal onder haar pyjama doken, duwde ze hem opeens in een reflex van zich af.

Ze schrok er zelf van.

Ron keek haar verbouwereerd aan.

"Het spijt me," stamelde ze. "Het gaat mij allemaal te snel en het is allemaal verwarrend." Ze schaamde zich voor haar kinderachtige opstelling, maar ze kon het niet helpen.

Ron schoof meteen achteruit. "Natuurlijk. Sorry. Het was niet mijn bedoeling…"

"Het maakt niet uit," mompelde Mindy.

"Jawel. Ik wil je niet onder druk zetten. Het is gewoon… nou ja, ik geloof dat ik best wel gek op je ben. Allang eigenlijk, maar ik wist niet hoe je over mij dacht en ik wilde niets forceren, gezien we met elkaar werken. En nu zitten we hier samen…"

"Ik weet het. Misschien dat het daarom ook opeens te snel voor mij gaat. Ik weet dat het wat onnozel klinkt en…"

Hij legde zijn vinger op haar lippen. "Het klinkt niet onnozel," bracht hij ertegen in. "Integendeel."

Ze glimlachte voorzichtig.

Hij schoof even van haar af om de wijnfles te pakken, schonk hen allebei een beetje in, tikte zijn glas tegen het hare en grijnsde. "Op ons," zei hij.

Ze glimlachte. "Op ons."

Ze dronken hun glas wijn leeg en keken nog een beetje televisie, totdat Ron in slaap viel. Mindy vroeg zich op dat moment net af of ze hem niet voorzichtig moest voorstellen om naar zijn eigen kamer te gaan, alleen al om geroddel te voorkomen, toen hij zomaar opeens in een diepe slaap bleek verzonken. Hij maakte een licht snurkend geluid, maar het klonk niet storend. Eerder rustgevend.

Mindy maakte zich voorzichtig van hem los en trok een deken over hem heen.

Hij kreunde even en sliep verder. Misschien kon ze zelf maar beter ook gaan slapen. Ze was moe en haar hoofd voelde zwaar aan. Bovendien deed de wijn zijn werk en verdween haar gepieker naar de achtergrond. De vermoeidheid liet zich daardoor met extra heftigheid gelden en haar ogen waren loodzwaar.

Mindy vroeg zich maar heel even af of ze Ron niet toch beter wakker kon maken om hem naar zijn kamer te sturen, maar besloot vrijwel meteen dat ze dat niet wilde doen. Hij sliep werkelijk vast en misschien was het wel prettig om niet alleen te slapen. Het deed er in feite niet toe wat anderen ervan dachten. Zij en Ron waren tenslotte volwassen. En als Hannah werkelijk met een of ander fantasieverhaal op wilde duiken, dan deed ze dat toch wel. Ongeacht of Mindy Ron nu naar zijn kamer stuurde of niet. Als Hannah tenminste ooit nog een keer opdook.

De verdwijning van Hannah zat haar toch nog steeds niet lekker, besefte ze, en ze speelde opeens zelfs met de gedachte dat er ergens iemand in het hotel rondliep, die niet deugde. Iemand die Hannah iets had aangedaan. Het was een belachelijke gedachte, maar ze kon het niet helemaal van zich af zetten.

Misschien maakte de wijn haar wel een beetje paranoïde.

Ze overwoog nog even om haar make-up weg te wassen en op die manier te voorkomen dat ze Ron de volgende morgen een hartaanval bezorgde door eruit te zien als een verlopen spook, maar ze kon er eenvoudigweg de energie niet meer toe opbrengen.

Ze beloofde zichzelf dat ze de make-up weg zou wassen als ze naar het toilet moest. Dat moest ze elke nacht. Dan hoefde ze nu in ieder geval niet meer op te staan. En met dat in gedachten trok ze de deken over zichzelf heen, sloot haar ogen en dreef weg in de donkere vijver van de slaap.

Ze had geen idee hoelang ze werkelijk geslapen had, toen een klap tegen het raam ervoor zorgde dat ze overeind schoot en met grote opengesperde ogen naar de ruit staarde. Ze zag helemaal niets.

Ze keek naar Ron, die naast haar lag te slapen. Hij maakte zachte knorgeluidjes die bijna aandoenlijk waren. Ze glimlachte voorzichtig.

Er was niets aan de hand, verzekerde ze zichzelf. Anders zou Ron ook wel wakker zijn geworden. Ze probeerde zich te herinneren wat ze had gedroomd, maar de beelden van de droom vervaagden op het moment dat ze er vat op probeerde te krijgen.

Ze probeerde zich weer te ontspannen en sloot haar ogen in een poging verder te slapen, toen opnieuw iets tegen de ruit sloeg.

Mindy schoot weer overeind en keek geschrokken naar het raam. Ze twijfelde maar even voordat ze opstond en naar het raam liep. Met samengeknepen ogen keek ze naar de binnentuin, die vanuit haar positie voor een groot deel zichtbaar was. Ze herkende de jongens in de binnentuin in het licht van de tuinlampen vrijwel meteen: August en Philippe!

De twee knapen voetbalden midden in de nacht in de binnentuin van het hotel alsof het de normaalste zaak van de wereld was. Ongelooflijk. Het was een wonder dat de bal nog niet door het raam was gegaan.

Heel even stond ze in dubio. Ze voelde de neiging om naar die twee vlegels toe te gaan en hen duidelijk te maken hoe ze over hun nachtelijke uitstapjes dacht, maar tegelijkertijd vond ze eigenlijk dat het niet haar verantwoordelijkheid was om die jongens van repliek te dienen.

Ze kon natuurlijk die broeder waarschuwen, maar ze geloofde niet dat hij op dit tijdstip door de hotelgangen zwierf. Zelfs niet als hij dat de vorige nacht wel had gedaan. Misschien was hij ervan overtuigd dat de jongens deze keer al uren in bed lagen of had hij iedere zoektocht allang opgegeven. Bovendien kon ze nauwelijks op dit tijdstip bij het missiehuis aanbellen. Ze zou dan iedereen wakker maken.

Ze had nog geen beslissing genomen, toen de bal opnieuw tegen het raam sloeg. Ze deinsde achteruit. Ze begreep niet hoe die twee ondeugden het voor elkaar kregen om een bal dusdanig hoog te schoppen dat hij haar raam raakte, maar blijkbaar kostte hen dat niet al te veel moeite.

Mindy keek nog een keer naar Ron, die nog steeds in een diepe slaap verzonken was en besloot dat het geen zin had om weer tussen de dekens te kruipen. Ze zou nu toch niet meer kunnen slapen. Niet zolang die twee spoken met regelmaat van de klok de bal tegen haar raam schopten. Dan kon ze er dus net zo goed iets tegen ondernemen.

Ze trok mopperend haar pantoffels aan, greep het kaartje waar-

mee ze haar hotelkamerdeur kon openen en liep de schaars verlichte gang in. Ze dacht er niet bij na, maar toen ze bij de trap
was en omlaag in het verlaten, donkere trappenhuis keek, huiverde ze toch.

Ze had geen idee hoe laat het was. Iedereen in het hotel leek in
een diepe slaap verzonken. Als er iets gebeurde, was er niemand die het merkte.

Zoals Hannah wellicht iets was overkomen, slechts één nacht
eerder.

Ron leek het voor onmogelijk te houden en ze had hem graag
gelijk gegeven. Maar hier, alleen in de duisternis, voelde ze
toch angst voor alles wat in de schaduw op haar kon wachten.

Ze huiverde opnieuw en probeerde te lachen om haar eigen
waandenkbeelden. Haar fantasie speelde weer eens een eigenaardig spel met haar. Dadelijk haalde ze zich nog in haar hoofd
dat er een seriemoordenaar rondliep in het hotel. Belachelijk
natuurlijk.

Maar het lachje wilde niet echt komen. Ze bleef bang, maar
ging toch maar naar beneden. Alleen al omdat ze zelfs tegenover zichzelf haar angst niet wilde toegeven. Bovendien was ze
eigenlijk helemaal niet alleen, besefte ze. Die jongens waren
tenslotte in de binnentuin.

Ze merkte dat ze evengoed haastig liep en dat haar ademhaling
gejaagd was. Onwillekeurig dacht ze aan een een film, die ze –
ook alweer – onbedoeld had bekeken en waar een meisje op de
vlucht was voor een of andere maniak. De filmmakers hadden
de nadruk gelegd op haar snelle voetstappen en haar gehijg in

de stilte van de nacht, wat het geheel extra beangstigend had gemaakt. Ze had nu dus de rol van het meisje overgenomen. Maar er was geen maniak. Dat herhaalde ze in ieder geval in haar hoofd, alsof ze een mantra gebruikte. En ze dacht aan de jongens in de binnentuin. Het voelde zowaar als een geruststelling, dat ze daar waren. Zelfs als ze in de eerste plaats de oorzaak voor haar nachtelijke tocht waren.

Ze opende de deur bij de Breviergang, en keek naar de donkere, bewegingsloze struiken en planten die door de buitenverlichting vreemde grillige schaduwen op de muren en op het grasveld tekenden. Van de jongens was geen spoor te bekennen.

Verbijsterd bleef ze in de deuropening staan.

"Heb je al melk met honing geprobeerd?" klonk het opeens achter haar.

Mindy bevroor ter plekke. Haar hart sloeg een laatste slag en haar ademhaling hield op met bestaan. In ieder geval voor de seconde die daarop volgde.

"Oh lieve help, ik heb je toch niet aan het schrikken gemaakt, hoop ik."

Vrijwel meteen drong het tot Mindy door dat ze de stem kende. Haar lichaam ontspande weer enigszins en haar ademhaling kwam ook weer op gang toen ze zich omdraaide. "Broeder?"

Hij glimlachte naar haar. "Broeder Dominicus. Ik heb mij gisteren niet voorgesteld, geloof ik. Hoe onbeleefd van mij."

Mindy merkte dat ze hem aanstaarde. Ze kon het niet helpen. Het was zo vreemd om de oude broeder uitgerekend op dit tijdstip weer te ontmoeten.

"Hebt u melk geprobeerd?" herhaalde broeder Dominicus.

"Eh... melk?"

"Vanwege uw slapeloosheid."

"Oh. Nee. Dat was niet nodig. Ik sliep, maar ik werd wakker van de jongens." Ze maakte een halfslachtig gebaar richting binnentuin, die er volkomen verlaten bij lag.

"Oh hemel, wat hebben ze nu weer uitgespookt?" vroeg de broeder hoofdschuddend.

"Ze voetbalden. Hier in de binnentuin. De bal kwam tegen het raam." Ze wees naar boven, naar de ramen van de tweede verdieping, waar ook ergens haar kamer was.

"Tegen uw raam?" vroeg de broeder met opgetrokken wenkbrauwen.

Mindy besefte dat het bijna onmogelijk was om vanuit de binnentuin een bal uitgerekend tegen haar raam te schieten, en dat dan ook nog drie keer achter elkaar. Maar ze wist wat ze had gehoord en gezien.

"Ik hoorde een klap tegen het raam. Twee keer eigenlijk. Toen ik ging kijken, kwam de bal voor een derde keer tegen het raam. Ik zag de bal en ik zag hoe hij terug stuiterde en weer bij de voeten van de jongens landde. Want ze waren hier. Ze voetbalden. Ik weet dat het onwaarschijnlijk klinkt, maar..."

"Ik geloof je," zei de broeder eenvoudig. Hij liep langs haar heen de binnentuin in.

Hij volgde de Breviergang een stukje en Mindy keek naar hem, zoals hij daar geruisloos in zijn bruine gewaad door de gang schreed. Het had iets onwerkelijks, vond ze. Maar toen hij tussen de pilaren van de Breviergang de binnentuin in liep, was hij opeens weer gewoon die kleine, wat buikige broeder, voor wie melk waarschijnlijk het allerhoogste geneesmiddel was.

Na een korte aarzeling liep ze naar hem toe, terwijl hij midden in de binnentuin bleef staan en om zich heen keek.

"Ik weet niet waar ze opeens naartoe zijn," zei Mindy verontschuldigend. "Ze waren echt hier."

De broeder glimlachte. "Dat is wat ze altijd doen."

"Anders zou u ze allang hebben gevonden," vulde Mindy aan.

"Precies."

"Maar dat betekent toch niet dat ze werkelijk al dagen zoek zijn." De onwaarschijnlijke conclusie drong opeens tot Mindy door.

De broeder glimlachte weer geduldig. "Welnee," zei hij.

Mindy haalde opgelucht adem. Natuurlijk waren de jongens geen dagen achter elkaar zoek.

"Alleen Philippe."

"Philippe? Is hij al dagen zoek?"

De broeder knikte.

"Maar dat is toch verschrikkelijk? Hoe weet u dat hem niets is overkomen?"

"U hebt hem gisternacht toch nog gezien? En daarstraks..."

"Ik dácht dat ik hem zag. Maar een jongen die al zo lang zoek is... dat is toch vreemd."

"Voor een jongen als Philippe niet, vrees ik. Hij was thuis al niet de gemakkelijkste en ik vrees dat ze hem daarom onder mijn hoede hebben gesteld. Hij is werkelijk al dagen zoek."

"En August?"

"August niet. Die duikt iedere keer weer op. Uiteraard nadat hij het nodige kattenkwaad heeft uitgehaald."

"Maar hij weet dan toch waar Philippe is?"

"Oh absoluut. Maar hij vertelt het niet. De snater."

"Lieve help." Mindy bedacht zich dat de ouders van de knapen zich wel erg gemakkelijk van hun verantwoordelijkheid af hadden gemaakt, door die arme oude broeder ermee op te schepen. Onverantwoord, vond ze. Maar ze noemde het maar niet.

"Er is nog iemand verdwenen," zei ze toen. "Een vrouw die het seminar bezocht. Misschien hebt u haar wel gezien? Ze is voor in de dertig, denk ik. Knap, slank en blond."

"Ah, de jonge dame die gisternacht met de man stond te praten die ik steeds in uw gezelschap zag?"

De broeder had het dus ook gezien. Natuurlijk. Hij zou het ook noemen tegenover de politie. Ze wist wel dat zwijgen geen zin had. Misschien had zelfs Armando Ron met Hannah gezien. En de jongens. Ron deed er goed aan om het toch maar te noemen tegenover de politie. Liefst voordat ze er zelf achter kwamen en er iets achter zochten. Ze moest dat met hem bespreken. Ze knikte haastig naar de broeder. "Met Ron, ja."

"Ah, de man heet Ron. Uw verloofde?"

"Nee, mijn baas."

"Toch wel een beetje meer dan alleen uw baas?" vroeg de broeder, terwijl hij haar onderzoekend aankeek. Er lag een lichte, geamuseerde schittering in zijn ogen.

Mindy realiseerde zich dat de oude broeder al minstens twee

nachten door het hotel zwierf op zoek naar de jongens en wellicht had gezien dat ze dezelfde kamer binnenliepen. Ze kleurde zowaar.

"Het maakt niet uit, hoor," zei de broeder goedig. "Ik weet natuurlijk ook wel dat de tijden veranderen. Volgens mij is het tegenwoordig niet eens meer gebruikelijk om van een verloving te spreken."

"Oh, er zijn nog genoeg mensen die zich verloven…"

"Ja, misschien wel. Maar het is geen regel meer, volgens mij. Ik weet het niet. Ik ben niet meer zo goed op de hoogte. De leeftijd, nietwaar." Hij grinnikte kort. "Bovendien leef ik nogal in afzondering, vrees ik. Maar voor mijn gevoel spreek je van een verloving als er trouwplannen zijn."

Mindy kleurde nog dieper rood. Ze voelde zich betrapt omdat ze inderdaad over een bruiloft met Ron had gefantaseerd. Niet alleen de laatste dagen, maar al lang daarvoor.

"Dromen is goed," zei de broeder, alsof hij haar gedachten kon lezen. "Zolang we de werkelijkheid niet uit het oog verliezen."

"Eh nee, natuurlijk. De vermiste vrouw heet overigens Hannah Verbaan. Misschien hebt u haar nog na dat gesprek met Ron gezien?" veranderde Mindy haastig van onderwerp.

"Eens denken… hm, nee, dat geloof ik niet."

"Ik begrijp niet zo goed hoe iemand zomaar kan verdwijnen," mompelde Mindy.

"Weet je… dat vraag ik mij ook steeds af. In verband met Philippe, natuurlijk. Ik begrijp niet dat hij zomaar kan verdwijnen.

Maar hij is natuurlijk niet echt verdwenen. Dat gebeurt nooit. Maar soms lijkt het wel zo."

Mindy knikte instemmend. Maar zij dacht daarbij aan Hannah. Misschien doelde de broeder daar ook op. "Er zal haar toch niets zijn overkomen?" vroeg ze toch maar, na een korte aarzeling. Ze wilde een geruststelling. Wat haar betrof mocht hij daar zelfs om lachen.

Maar hij schudde alleen wat meewarig zijn hoofd. "Dat is altijd moeilijk te zeggen, nietwaar. Ik heb mij datzelfde wel eens over Philippe afgevraagd. Maar dan realiseer ik mij weer dat August weet waar Philippe zit. En u hebt hem gezien. En dan ben ik toch weer een beetje gerustgesteld. Er is altijd wel iemand die iets heeft gezien, nietwaar?" Hij keek haar een tikje onderzoekend aan.

Mindy wist niet meer of hij op Philippe of Hannah doelde. Misschien op beiden. Maar ze stelde de vraag niet.

De broeder schudde nog een keer met zijn hoofd. "Hier is in ieder geval niemand," besloot hij.

Mindy keek ook om zich heen. De binnentuin had een vredige uitstraling, net als de statige steile muren van het gebouw. Rustgevend bijna. Ze begreep opeens niet meer waarom ze nog maar zo kort geleden die angst had gevoeld. Het was nu in ieder geval volledig verdwenen. Het voelde zelfs prettig om hier te zijn, nu die serene rust heerste. "Hoe is het eigenlijk, om in een klooster te wonen en te leven?" vroeg ze spontaan.

Broeder Dominicus glimlachte. "Ik had me geen beter leven kunnen wensen," zei hij eenvoudig.

Mindy knikte nadenkend.

"En u?" vroeg hij toen.

Mindy keek hem vragend aan.

"Hoe is het met uw leven?"

"Goed. Heel goed," reageerde ze haastig. "Ik heb een hele goede baan bij een groot bedrijf en ik sta op het punt promotie te maken. Als Ron landelijk manager kan worden, neem ik zijn taak als manager binnen ons bedrijf over."

"Een hele verantwoordelijkheid, neem ik aan," zei de broeder.

Mindy knikte. "Het is een pittige baan. Maar ik heb er hard voor gewerkt om dat te bereiken. En ik zal ook hard blijven werken om het tot een succes te maken."

"Aha."

"Ik heb de juiste diploma's niet, ziet u. Maar volgens Ron heb ik alles wat nodig is voor de baan; inzicht, doorzettingsvermogen en de bereidheid om hard te werken."

"Deze Ron gelooft in u?"

"Ja, dat doet hij. Hij is zelf erg ambitieus en hij waardeert die eigenschap ook in mij. Hij weet dat ik het kan."

"Aha."

Er was iets in de reactie van de broeder wat ervoor zorgde dat Mindy hem met enige argwaan bekeek. Heel even dacht ze dat hij haar een beetje voor de gek hield en niet geloofde dat ze het werkelijk kon. Zoals zoveel andere mensen. Ze voelde haar gebruikelijke drang om zichzelf te verdedigen. "Ik weet dat ik het kan," benadrukte ze dus nog maar een keer.

"Natuurlijk," zei de broeder. "Maar als ik u een goede raad mag geven?" Hij keek haar bijna verontschuldigend aan.

Mindy knikte wat verbaasd.

"Vergeet onderweg niet naar de bloemen te kijken," zei hij.

"Huh?" Haar reactie klonk wat dommig, vond ze zelf. Het was een soort keelgeluid, ontstaan vanuit onbegrip.

"Mensen hebben het zo druk met het bereiken van hun doelen, dat ze vergeten waar het allemaal om draait."

"Maar we worden toch geacht om iets te bereiken in het leven?" stelde Mindy.

"We worden geacht om het leven te waarderen. Het leven is als een muziekstuk, ontworpen door een begaafd componist. Het gaat niet om de slotakkoorden. Het gaat om de muziek zelf. Iedere toon, ieder akkoord is belangrijk. De tonen en akkoorden samen maken het lied."

Mindy knikte. Ergens begreep ze wat de broeder bedoelde, maar het wilde niet volledig tot haar doordringen.

De broeder glimlachte alsof hij het wist. "Maar nu moet ik gaan," zei hij. "Ik moet die ondeugende snaken nog vinden, voordat de nacht alweer voorbij is." Hij draaide zich om en liep naar de Breviergang, die hij volgde tot aan de deur van de receptie. Daar ging hij weer naar binnen.

Mindy bleef nog een tijdje staan. Ze voelde zich verward, zonder dat ze precies wist wat die verwardheid had veroorzaakt. Het had iets te maken met wat de broeder had gezegd, begreep ze. Maar ze wist niet waarom het dat effect op haar had. Of misschien wílde ze het niet weten.

Ze draaide zich om en liep weer het hotel binnen.

Ze was vastbesloten om terug te gaan naar haar kamer, toen ze Armando boven aan de trap trof. Ze had geen idee of hij net naar beneden wilde gaan of juist naar boven was gelopen. Hij leek daar wat besluiteloos bij het trappenhuis te staan, alsof hij het zelf ook niet precies wist.

Armando grijnsde toen hij haar zag. "We moeten werkelijk stoppen elkaar op deze wijze te treffen."

"Slapeloosheid?" vroeg Mindy.

"Onder kunstenaars heel gewoon en geaccepteerd. We hoeven tenslotte niet om acht uur naar kantoor. Welk excuus heb jij?"

"Die jongens maakten mij wakker. Ze voetbalden in de binnentuin en schopten de bal tegen mijn raam."

"Jongens? Welke jongens?"

"Ik heb je gisteren toch verteld over die jongens, waar de broeder verantwoordelijkheid over had? De twee die hier steeds rondrennen?"

"Hm. Heb je de broeder ook getroffen?"

Mindy knikte. "Broeder Dominicus."

"En hij heeft die knapen eindelijk in de kraag gegrepen?"

"Nee. Ze waren alweer verdwenen toen ik beneden kwam. En aangezien broeder Dominicus nog na mij beneden kwam, heeft hij hen alweer gemist."

"En je weet zeker dat broeder Dominicus geen spook is?"

"Alsjeblieft zeg…" Ze grinnikte.

"En je weet ook zeker dat je zijn bestaan niet verzint, opdat ik je een slaapmutsje kan aanbieden?"

"Heel zeker," reageerde Mindy lachend.

"Jammer."

"Tja."

"Maar misschien kan ik je er evengoed eentje aanbieden?"

"Ik weet niet…" Onwillekeurig keek Mindy naar de deur van haar kamer en dacht aan Ron.

"Die baas van je slaapt vast nog."

"Hoe weet je…"

Armando grijnsde.

"Nou goed dan. Eentje," gaf Mindy toe. De vermoeidheid die ze de hele dag had gevoeld, leek verdwenen. Typisch iets voor haar om nu naar bed te gaan en vervolgens tot tegen de morgen wakker te liggen. Dan zat ze morgen weer te slapen tijdens de lezingen en workshops. Mooie manager. Nee, dan was het beter een borreltje te nemen met Armando. Wellicht kon ze dan wel slapen.

Ze liep met Armando naar zijn kamer en kreeg een déjà vu toen hij haar vroeg te wachten, om vervolgens weer kussens en twee likeurtjes uit zijn kamer te halen. Mindy geloofde niet dat het kwaad kon om zijn kamer binnen te gaan, maar eigenlijk vond ze dit zeker zo prettig. Het had wel iets, om in die schemerdonkere doodstille gang met zijn deftige steile muren en de spaarzame accessoires uit het voormalige klooster te zitten en een likeurtje te drinken.

"Hannah Verbaan is nog steeds spoorloos," zei ze, toen ze naast elkaar zaten en aan de likeur nipten.

"Ik heb zoiets gehoord."

"Haar spullen liggen nog in haar kamer. Zelfs haar telefoon."

"Tja."

"Haar man denkt dat er iets is gebeurd."

"Haar man kent haar misschien niet zo goed als hij denkt."

"Wat bedoel je daarmee?"

"Niets bijzonders." Hij nam haastig nog een slokje.

"Ik vind het een beetje eng."

"Waarom?"

"Misschien is haar iets overkomen?"

"Zoals?"

"Ik weet het niet."

"Moord? Een seriemoordenaar in het hotel?"

"Nou ja, dat is misschien overdreven." Maar ze huiverde toch weer even.

"Je weet het natuurlijk niet," zei Armando toen.

"Ah bah." Ze keek naar hem en zag zijn grijns. "Je houdt me voor de gek."

"Een beetje."

"Maar het is toch vreemd dat iemand zomaar verdwijnt? Ron had vlak ervoor nog een woordenwisseling met haar, omdat ze de vacature van Lou Verhaagh wil overnemen, terwijl Ron daar het meeste recht op heeft. Ze is het type wat alles doet om toch haar zin door te drijven, begreep ik van hem. Dan is het toch onlogisch dat ze tijdens het seminar verdwijnt?" Ze keek naar Armando. Hij had zijn lippen iets te strak op elkaar geklemd, maar reageerde niet.

"Waar ken je Hannah eigenlijk van?" wilde Mindy weten.

Hij haalde zijn schouders op. Hij keek haar niet aan.

Opeens begreep Mindy het. "Jij en Hannah?" raadde ze vol ongeloof.

"Het stelde niets voor."

"Jij en Hannah?" herhaalde Mindy. "Maar ze is je type helemaal niet."

Armando draaide zich naar Mindy om. "Wat is mijn type dan?" Zijn zeegroene ogen leken een tint lichter te worden. Mindy wist niet zeker of hij geïrriteerd was of haar een beetje voor de gek hield. "Weet ik niet," zei ze haastig. "Dat was een stomme opmerking."

Hij haalde opnieuw zijn schouders op. "Alleen als je niet weet hoe ze is."

"Hoe is ze?"

"Fake."

"Hoe bedoel je?"

"Nooit dat wat je denkt."

"Ik weet niet wat ik van haar moet denken."

"Echt niet?"

"Nou ja, ik vond haar niet erg aardig," gaf Mindy toe.

Armando trok zijn wenkbrauwen op. "Niet erg aardig?" Zijn mond vormde een lachje.

"Een kreng?"

"Ja, dat ook."

"Oh."

"Zullen we ergens anders over praten?"

"Waarover?"

"Vertel iets over jezelf."

"Ik heb gisternacht al over mijzelf verteld."

"Je hebt verteld uit wat voor gezin je kwam en welke doelen je jezelf hebt opgelegd. Maar niets over jezelf."

"Me dunkt." Mindy voelde zich ongemakkelijk. Ze dacht opeens aan haar gesprek met de broeder en wat hij over doelen had gezegd. Het zweefde rond in haar hoofd, maar wilde niet echt doorsijpelen naar haar hersenen. Alsof ze het onbewust tegenhield.

"Hou je van roze?" Hij wees op haar pyjama.

"Een beetje. Soms. Ik vond de kat leuk." Ze grinnikte, terwijl ze naar de print van de kat op haar borst keek. Ze wierp een korte blik op haar pantoffels. "Ik kan me voorstellen dat je denkt dat het mijn lievelingskleur is. Maar dat is niet echt zo. Het is gewoon soms een leuke kleur. Niet altijd."

"Wat is je lievelingskleur?"

"Klaprozenrood." *De bloemen langs de weg*. Mindy drukte die gedachte weer weg.

"Hou je van klaprozen, Mindy?"

"Ja."

"Waarom draag je geen kleding in die kleur?"

Ze haalde haar schouders op. Ze had thuis natuurlijk kleding in die kleur. Shirts, zoals het shirt met Garfield dat nu in haar koffer zat, truien en zelfs een wollen jurkje. Ze droeg dat jurkje alleen thuis en dan haalde haar moeder haar neus op. "Heb je dát weer aan?" vroeg ze dan.

Haar moeder hield van neutrale kleuren; zwart en wit, grijs, beige en zandtinten. Sporadisch met een vleugje blauw. Mindy haatte grijs. En toch droeg ze het ook.

Idioot eigenlijk, als ze erover nadacht.

"Het zou je staan: klaprozenrood," meende Armando.

"Valt tegen."

"Ik geloof er niets van."

"Waar hou jij van?"

"Peper en zout. Ik hou van die kleuren en ik hou van chips met peper en zout. Ik ben een peper-en-zout-addict, denk ik." Hij grijnsde weer en nipte aan zijn likeur. "Wat doe je graag, Mindy?"

Mindy dacht na over die vraag. Niemand stelde die ooit. Ze haalde haar schouders op. "Ik heb het nogal druk met het werk. Ik kom eigenlijk niet echt aan andere zaken toe. Ik ga uiteraard regelmatig naar de sportschool…" Ze nam aan dat één keer per week regelmatig was. Ze wilde vaker gaan, nam het zichzelf ook altijd voor, maar kwam er op de een of andere manier niet toe.

"Vind je dat leuk, zo'n sportschool?" vroeg Armando terwijl hij een grimas maakte.

"Sporten is goed voor je lijf. En een gezond lichaam…"

Armando liet haar niet uitspreken. "Een gezonde geest in een gezond lichaam. Ik ken de spreuk."

"Ben je het er niet mee eens?"

"Tot op zekere hoogte."

"Tot op welke hoogte?"

"Ik denk dat een gezond lichaam inderdaad bijdraagt tot een gezonde geest en andersom. Ik ben het er alleen niet mee eens dat het als reclame voor sportscholen wordt misbruikt."

Mindy keek hem verwonderd aan.

"Sportscholen wekken graag de schijn dat je niet zonder hen kunt. Dat ze een voorwaarde zijn om hier in orde te blijven." Armando wees met zijn vingertop naar zijn hoofd.

"Sporten is toch ook gezond?"

"Wandelen ook. Of fietsen. Of steppen, voor mijn part. Je hoeft niet naar de sportschool om gezond te blijven. Al beweren ze nog zo hard dat het nodig is. Je kunt op talloze andere – veel leukere – manieren voor beweging zorgen."

"De sportschool is niet leuk?"

"Oh, dat is persoonlijk. Er zijn mensen die daarvan genieten. Maar ik niet. Met zijn allen je uitsloven op een of andere apparaat, terwijl de hiphopmuziek in je oren dendert en de transpiratiegeur van je buurman je bijna misselijk maakt? Nou nee. Ik ga liever wandelen. Frisse lucht snuiven, bloemetjes bekijken en genieten van de rust."

"Maar met wandelen train je niet alle spieren."

"Moet dat dan?"

"Wel als je een vrouw bent die de dertig nadert. Anders krijg je een wiebelkont en putjesdijen. Voor zover je die nog niet hebt, dan." Ze keek wat ongelukkig naar haar mollige dijen.

"Nou en?" vroeg Armando.

Het klonk zo oprecht, dat Mindy erom moest lachen.

"Waarom mag je geen wiebelkont en putjesdijen krijgen als je ouder wordt?" vroeg Armando. "Het is toch een natuurlijk verschijnsel?"

"Het is lelijk."

"Waarom?"

"Gewoon. Omdat het zo is."

"Of omdat bepaalde mensen hebben bepaald dat het zo is?"
Mindy keek hem onzeker aan.

"In de Renaissance werd het mooi gevonden; volle vrouwen met buik, dikke billen en stevige benen."

"We leven niet meer in de Renaissance."

"Nee. Maar het geeft wel aan dat je niet kunt stellen dat het lelijk is. Dan hadden mensen het nooit mooi gevonden. Dat is echter niet zo. Dus is het een modeverschijnsel. Iets waarvan een bepaalde groep invloedrijke – of manipulerende – mensen hebben bepaald dat het lelijk is."

"Bijna iedereen vindt het lelijk."

"Zoals bijna iedereen het in de Renaissance mooi vond. Mensen zijn erg bevattelijk voor de mening die ze opgedrongen krijgen. Vooral als ze zich daarvan niet bewust zijn."

"Waarom zou iemand een dergelijke mening aan anderen willen opdringen?"

Armando haalde zijn schouders op. "Smaakverschillen. Verveling. Dwarsheid. Of misschien omdat er miljoenen omgaan in de dieetindustrie, plastische chirurgie en middeltjes om je huid strak te trekken."

"Lijkt me vergezocht."

"Ja?"

"Ik weet het niet," reageerde Mindy aarzelend.

"Ik ook niet." Hij grijnsde weer. "Maar het zou toch kunnen?"

Mindy nam nog maar eens een slok likeur. Ja. Het zou inderdaad zomaar kunnen, nam ze aan.

De likeur voelde warm aan in haar keel en maag. Ze merkte dat ze een beetje ontspande. "Doe jij altijd alleen maar wat je leuk vindt, Armando?" vroeg ze.

"Kies een baan waarvan je houdt, en je hoeft nooit meer te werken, zei Confucius. Hij had gelijk. Ik hou van schilderen."

"Ik hou van mijn baan, maar ik moet evengoed werken," zei Mindy. "Heel erg hard werken."

"Misschien hou je dan niet zoveel van je baan als je zelf denkt."

"Natuurlijk wel. Ik ben er goed in en ik sta op het punt promotie te maken. Dan ben ik manager. En dat terwijl ik daar nooit echt voor heb geleerd. Weet je wel wat dat betekent?" Ze keek Armando aan. Haar wangen kleurden, maar niet uit verlegenheid. Eerder van opwinding. Of misschien een beetje door de likeur.

"Ik heb geen idee wat het betekent," zei Armando. "Dus leg het mij uit."

"Het betekent succes. Het bereiken van een mijlpaal. Een bewijs van mijn kunnen."

"Heb je dat dan nodig, dat bewijs van je kunnen?"

Mindy dacht daar even over na. Toen knikte ze. "Ik wel. Ik ben altijd erg onzeker geweest. Ik voelde mij dom, vergeleken met mijn ouders en zussen en daar leed ik onder. Door die promotie bewijs ik mezelf dat ik niet dom ben."

"Hm. Gaat het alleen daarom? Werk je keihard om jezelf te bewijzen dat je niet dom bent?"

"De manier waarop je dat zegt, zorgt ervoor dat het banaal klinkt. Maar het is gewoon belangrijk voor me."

Armando knikte even. "En daarna?"

"Wat bedoel je met: daarna?"

"Wat doe je, als je dat doel eenmaal hebt bereikt?"

"Ervoor zorgen dat ik mijn werk goed doe. Dat ons bedrijf winst maakt."

"En dan?"

"Hoezo en dan?"

"Ik vroeg het mij gewoon af."

"Rare vraag."

"Wat zou je willen doen, als je er de tijd voor had? Buiten je werk om, dus."

"Dat is ook een rare vraag."

"Misschien."

Mindy speelde met haar glas. "Ik zou een heel groot diorama willen maken. Een kijkkast. Misschien uit een paar oude kisten of iets dergelijks, met van dat rustieke hout. Ik zou er een sprookjesachtig tafereeltje in willen bouwen, met trollen die onder de grond leven en elfjes boven de grond. Misschien een eenhoorn of iets dergelijks erbij. Of kabouters." Ze lachte. "Idioot, niet?"

"Waarom?"

"Omdat ik volwassen ben. Volwassen mensen bouwen geen sprookjes."

"Het zijn anders volwassen mensen die de sprookjes hebben verzonnen."

"Hm. Daar heb je gelijk in."

"Waarom bouw je dan geen diorama?"

"Geen tijd."

"Tijd maken?"

"Om een kijkkast te bouwen? Beetje raar, nietwaar. Ik bedoel... ik heb het nergens voor nodig. Er zijn zoveel zaken die moeten gebeuren, die wel nodig zijn."

"Waarom zou je alleen dingen doen die nodig zijn. Waarom niet iets doen wat gewoon leuk is?"

"Iedereen zou mij voor gek verklaren."

"Nou en?"

Mindy lachte. Ze zag het gezicht van haar moeder al voor zich, als ze met iets dergelijks bezig zou zijn. Ze hoorde haar commentaar zelfs al bijna. Haar zussen zouden aan haar verstand twijfelen. Nee, natuurlijk kon ze zoiets niet doen. Hoewel ze er wel soms over fantaseerde.

"Je laat alles zo eenvoudig klinken," zei ze tegen Armando. Ze keek hem aan. Zijn ogen waren op haar gevestigd. Ze zag iets in die ogen, wat haar een tikje onrustig maakte.

"Is dat verkeerd?" vroeg hij. "Wat is er dan mis met eenvoud?"

"Moeilijk te verklaren..."

"Alleen al daarom zou je het simpel moeten houden."

Mindy lachte. Ze dronk het laatste restje likeur en stond op. "Ik denk dat ik maar beter naar bed kan gaan," zei ze. "Morgen is een lange dag."

Armando knikte. Hij nam het lege glaasje van haar over en keek haar na toen ze haar eigen kamer weer binnenliep.

Hij zag geen succesvolle vrouw in een verkeerde pyjama. Hij zag een klein meisje, dat iets probeerde te zijn wat ze niet was. En juist dat kleine meisje deed iets met hem, wat hij liever negeerde.

HOOFDSTUK 9

Het was vreemd om naast een man wakker te worden, vond Mindy. Zelfs als er helemaal niets was gebeurd. Heel even vroeg ze zich af of ze zou blijven liggen. Ze hadden nog ruim de tijd, dus er was geen reden voor haast.

Maar er was te veel onrust in haar lijf en uiteindelijk stond ze toch maar op. Ze deed haar best om Ron niet wakker te maken. Over een minuut of tien moest ook hij opstaan, maar ze had heel even de behoefte aan een beetje tijd voor zichzelf.

Waar die behoefte precies vandaan kwam, wist ze niet. Ze was gek op Ron. Ze had zelfs al gedroomd over een bruiloft. En na één gezamenlijke nacht – waarbij hij nota bene alleen naast haar had geslapen – voelde ze al de behoefte aan een moment voor zichzelf.

Misschien was het gewoon allemaal te verwarrend.

Ze liep naar de badkamer en schrok toen ze in de spiegel keek. Het was maar goed dat Ron nog sliep, want hij zou een hartaanval krijgen als hij haar zo zag. De make-up had een eigenaardig vlekken- en streepjespatroon op haar gezicht getekend, zodat ze een indiaan op oorlogspad leek. Haar haren staken alle kanten uit behalve de goede en ze meende zelfs kringen onder haar ogen te herkennen.

Haastig maakte ze haar gezicht goed schoon, maar net voordat ze nieuwe make-up aanbracht, stagneerde ze in haar drukke bewegingen en keek naar het rossige gezicht in de spiegel. Het was alsof ze heel even naar het meisje keek, dat ze ooit was geweest. Het boerengrietje, zoals haar moeder haar vaak had genoemd. Een koosnaampje, had ze beweerd.

Maar haar moeder had de gave om een koosnaampje met gif te mengen.

Mindy was zich gaan schamen voor die rossige rode wangen. Rossige wangen hoorden niet bij een volwassen vrouw. Of was haar dat slechts opgelegd?

Ze schudde verward haar hoofd en bracht nieuwe make-up aan. Toen ze daarmee klaar was, had haar gezicht een egale satijnachtige glans. De rouge was bescheiden opgebracht richting slapen, zodat haar gezicht wat smaller leek. Haar oogschaduw was onopvallend, maar moest haar ogen een wakkere blik geven en de mascara rondde het geheel af. Natuurlijk gebruikte ze ook een vleugje lippenstift in een neutraal kleurtje. Net niet te veel.

Een blik in de spiegel vertelde haar dat ze er netjes uitzag; misschien zelfs knapper dan ze van nature was. Maar het meisje van vroeger was verdwenen.

Net als de vreugde, die ze daarover zou moeten voelen.

Ze zuchtte maar eens diep en liep de kamer weer binnen, waar Ron nog steeds lag te slapen. Hij maakte een zacht keelgeluid, tegen het snurken aan. Zijn haren waren verward en hij kon een nieuwe scheerbeurt gebruiken.

Het was een andere Ron dan de Ron in pak op kantoor. Een leukere Ron, eigenlijk.

Waarom Hannah opeens weer in haar hoofd verscheen, wist ze niet. Ze zag haar voor zich, elegant gekleed en vrouwelijk gemanierd. Zelfverzekerd.

Wat was er met haar gebeurd?

Ron draaide zich half om, kreunde en opende de ogen. Hij zag Mindy en schoot meteen overeind. "Heb ik mij verslapen?"

Mindy schudde haar hoofd. "Ik wilde je net wakker maken."

"Het was helemaal niet mijn bedoeling om hier te slapen." Het klonk verontschuldigend.

"We zijn allebei gewoon in slaap gevallen. Het maakt niet uit."

"Weet je dat zeker?" Hij keek haar onderzoekend aan.

Ze glimlachte en knikte.

Ron stond op, wreef in zijn ogen en keek haar weer aan. "Ik moet naar mijn kamer. Scheren,wassen, aankleden…"

Mindy knikte.

"Je weet zeker dat je het niet erg vindt?"

Mindy schudde opnieuw haar hoofd.

Hij knikte, liep naar de deur, bedacht zich, ging naar Mindy, kuste haar vluchtig op de mond en maakte dat hij de kamer uit kwam.

Mindy bleef een paar tellen midden in de kamer staan. Haar vingers raakten even haar lippen aan, alsof ze de afdruk van zijn mond kon voelen. Daarna haalde ze diep adem en kleedde zich aan. Ze koos dit keer voor een beige broek en een bloes met figuren die ze niet kon thuisbrengen. Ze had de bloes nooit erg mooi gevonden, maar was daarin de enige. Iedereen vond dat hij haar geweldig stond, dus dan was het waarschijnlijk ook zo.

Toen ze klaar was, vroeg ze zich af of ze eerst naar de kamer van Ron moest lopen, zodat ze samen naar de ontbijtzaal konden gaan. Maar ze deed het toch maar niet. Ze wist niet of Ron het vervelend vond als andere deelnemers van het seminar begrepen wat er tussen hen gebeurde. Voor zover dat tenminste niet al het geval was. Bovendien zouden ze elkaar vandaag nog meer dan genoeg zien. Misschien zouden ze zelfs de laatste avond hier samen doorbrengen. Of zouden er nog vele avonden volgen?

Mindy liep met snelle passen naar beneden en nam plaats aan een van de lange tafels, die voor de seminarbezoekers waren gereserveerd. Minstens de helft van de gasten zat op dat moment al aan tafel.

Ze begroetten haar op neutrale wijze en Mindy besefte dat ze een van de weinigen was die geen contact had gezocht met de andere deelnemers buiten de noodzakelijke samenwerking in de workshops om. Daar waar anderen vriendschap hadden gesloten en grapjes met elkaar maakten, zocht zij nog steeds haar eigen weg. Haar aandacht was uitsluitend naar Ron uitgegaan. Geen goed idee natuurlijk, als ze manager wilde worden. Managers bezaten sociale vaardigheden. Ze waren niet wereldvreemd. Mindy nam zich voor om daar verandering in te brengen. Maar niet nu.

Ron voegde zich ongeveer tien minuten later bij hen en hij leek duidelijk meer op zijn plek tussen al die mensen. Hij had de eerste avond meer gesocialiseerd dan zij en hij had ook tijdens de workshop ontspannen gesprekken gevoerd met de andere deelnemers. Ron hoefde daarvoor geen moeite te doen. Omgaan met mensen zat in zijn bloed. Het leek vanzelf te gaan.

Mindy besefte dat ze zelf nog lang niet zover was. Voor haar vergde het omgaan met vreemde mensen inspanning. Niet in het dagelijks leven, maar wel bij een officieel gebeuren als dit. Behalve waar het Armando of broeder Dominicus betrof. Met hen had ze wel contact gelegd. Maar bij die twee was het initiatief van hen uit gegaan en dat had het gemakkelijker gemaakt. Bovendien behoorden ze niet tot de deelnemers van het seminar.

Maar ze kon veranderen, besloot ze. Ze keek naar de zakelijke mensen om zich heen. Ze kon leren om een van hen te zijn. Ze had tenslotte al zoveel geleerd. Alleen had ze daar nu, op dit moment, bij haar ontbijt, de energie niet voor.

Straks, nam ze zichzelf voor. Straks zou ze ervoor gaan.

Ze gebruikte haar ontbijt in stilte en keek hoe de mensen om haar heen geanimeerde gesprekken voerde over het seminar, hun bedrijf en zelfs persoonlijke zaken. Ron praatte met twee andere mannen over Fynn Laitteet. Af en toe keek hij even naar Mindy en dan vormde zijn mond een kleine glimlach. Maar zijn meeste aandacht ging uit naar de andere managers, met wie hij praatte.

Mindy probeerde de indruk te wekken dat ze met grote interesse het gesprek van de vrouw links van haar en de twee mannen tegenover haar volgde. Ze wist niet of ze daarin slaagde. Eén ding was zeker: als iemand haar later zou vragen waar die drie over hadden gepraat, zou ze geen zinnig antwoord kunnen geven.

Maar dat wat haar het meeste bezighield, was het feit dat niemand een woord repte over Hannah Verbaan. Alsof ze nooit had bestaan. Een beangstigende gedachte.

HOOFDSTUK 10

De workshop 'leidinggeven' ging om negen uur van start in de Wim van Deursen-zaal en de deelnemers luisterden gespannen naar de instructies, die door Fynn zelf werden gegeven.

Mindy deed ook haar best om op te letten, maar haar hoofd werkte niet mee.

Ze hoorde Fynn uitleg geven, maar op de een of andere manier wilden de woorden niet tot haar doordringen. Het was alsof ze naar een Chinees zat te luisteren. Ze probeerde zichzelf te dwingen om de aanwijzingen op te nemen, maar beelden van de laatste dagen flitsten onrustig door haar brein en leidden haar af. Soms keek ze door het glas naar de gang, zonder te weten wie ze daar hoopte te zien.

Pas toen Fynn voorstelde om groepjes te vormen, raakte ze min of meer in paniek. Ze had geen idee wat ze nu precies moest gaan doen. Ze had ook geen idee bij wie ze zich moest aansluiten. De deelnemers om haar heen leken precies te weten met wie ze wilden samenwerken. Zij was niet een van die personen. Dat ze wat wezenloos om zich heen stond te kijken en geen enkel initiatief nam, hielp daar bepaald niet aan mee. Terwijl een strenge stem in haar hoofd schreeuwde dat ze in beweging moest komen en eindelijk iets moest ondernemen, bleef haar lichaam als aan de grond genageld staan.

Het voelde bijna als een opluchting, dat opeens twee vreemde mannen de zaal binnenliepen en de aandacht van de deelnemers trokken. De mannen leken zich nergens van bewust en stevenden doelbewust rechtstreeks op Fynn en Lou af, die op dat moment met elkaar in gesprek waren.

Een van hen was wat gezet en had een dikke bos wit haar, dat aan een stevige storm blootgesteld leek te zijn geweest. Hij droeg een wat ouderwetse beige broek, een wit overhemd en een halflange jas die waarschijnlijk nooit echt in de mode was geweest. Zijn gezicht vertoonde enige overeenkomst met dat van een buldog.

De andere man was lang en smal, met een gekortgewiekt donker kapsel en keurig getrimde baard en snor. Hij droeg een donkere jeans en een wit overhemd met stropdas en hield daarmee het midden tussen elegant en sportief.

De twee leken in niets op elkaar. Behalve dan misschien in gezichtsuitdrukking; ernstig en vastbesloten. Ze voerden een discussie met Fynn en Lou en het leek enige tijd te duren voordat ze tot overeenstemming kwamen. De deelnemers van het seminar keken nieuwsgierig toe.

Toen Lou het woord nam, luisterde zelfs Mindy gespannen. "Ik wil de heren Nelis Roodt en Arwin Donke aan jullie voorstellen. De heer Roodt en Donke zijn van de recherche en ingeschakeld door de heer Eric Verbaan in verband met het verdwijnen van zijn echtgenote Hannah Verbaan. Helaas is er nog steeds niets van haar vernomen en de recherche gaat onder andere om die reden over tot een onderzoek. In het kader van dat onderzoek willen ze graag met een aantal mensen praten. Ik stel voor dat we desondanks de workshop gewoon laten doorgaan. Mensen die een deel ervan missen vanwege een gesprek met de heren rechercheurs, kunnen later door de groepsgenoten worden ingelicht."

Er klonk een zacht gemompel.

"Ik wil verder iedereen vragen om zo goed mogelijk mee te werken aan het onderzoek. Mocht iemand nog iets invallen, wat in verband hiermee van belang kan zijn, dan wil ik vriendelijk verzoeken om dat met de rechercheurs te bespreken."

Mindy dacht meteen aan Ron. Ze had hem willen zeggen dat hij was gezien, die nacht van Hannahs verdwijning, en dat hij er beter aan deed om er zelf over te beginnen. Maar ze had het nog niet gedaan. En nu naar hem toe hollen met dat advies, terwijl hij bij een groepje collega's stond, voelde nogal mal.

Mensen knikten en raakten weer in gesprek met elkaar.

Het werd wat onrustig in de zaal toen Nelis Roodt het woord overnam. "Ik wil benadrukken dat het gaat om een routine-onderzoek en dat we in dat kader ook de gesprekken voeren. We proberen een beeld van Hannah Verbaan te vormen en van de omstandigheden rond haar verdwijning. We zullen om die reden met een behoorlijk aantal mensen praten. We rekenen op begrip daarvoor."

De onrust nam verder toe, maar Lou nam het weer over en wist weer orde op zaken te krijgen. Hij drong nogmaals aan op een samenwerking met de rechercheurs en stelde voor om de groepen definitief te vormen, zodat ze eindelijk met de workshop konden beginnen.

Mindy voelde opnieuw paniek, omdat ze nog niet tot een groepje hoorde en omdat ze Ron had moeten waarschuwen, en keek nerveus om zich heen. Toen pas zag ze dat de rechercheurs regelrecht naar haar toe kwamen. Ze voelde een rilling toen ze besefte dat ze zich niet vergiste. Zij was de eerste die ze wilden spreken. Waarom uitgerekend zij?

"Juffrouw Mindy Mees?"

Ze knikte. Ze voelde een plotselinge warmte in haar lijf opstijgen, die haar wangen kleurde.

"Zou u zo vriendelijk willen zijn?" Nelis Roodt maakte een uitnodigend gebaar. Zijn collega, Arwin Donke, boorde zijn priemende ogen in die van haar.

Het maakte haar een beetje bang.

Ze wendde haar blik haastig van hem af en volgde de witharige Nelis. Nerveus liep ze met hen de zaal uit, naar het zitje bij de hoge ramen, schuin tegenover de ingang van de zaal.

Toen ze ging zitten, leek het alsof iedere spier van haar lichaam verkrampte. Idioot, vond ze zelf. Ze had tenslotte niets te vrezen. Hoewel ze wel iets wist wat Ron problemen kon bezorgen. Iets wat ze niet kon verzwijgen als ze meer problemen wilde voorkomen. Ze voelde zich een Judas. Hoe idioot het ook was.

"Juffrouw Mees, kent u Hannah Verbaan?" begon Nelis.

"Ik heb haar een keer gesproken."

"Wanneer was dat?"

"Eergisteravond, toen we na het welkomstwoord op het terras zaten."

"Wij?"

Mindy huiverde en knikte.

"Wie bedoelt u met 'wij'?"

"De mensen van het seminar en zo."

Nelis trok zijn witte borstelige wenkbrauwen op. "En zo?"

"Ik zat bij Ron Bauwen aan de tafel. De heer Bauwen is mijn baas. We zijn samen naar dit seminar gekomen."

"Ah." Het klonk als een beschuldiging, vond Mindy. Ze geloofde niet dat ze Nelis mocht. Ze geloofde ook niet dat ze Arwin mocht, hoewel die nog niets had gezegd. Maar hij had van die priemende donkere ogen, vond ze.

Ze verschoof ongemakkelijk op haar stoel.

"Kreeg u de indruk dat de heer Bauwen en juffrouw Verbaan elkaar kenden?"

Mindy's hart joeg het tempo omhoog. Ze knikte.

Nelis keek haar alleen maar afwachtend aan.

"Ze praatten eigenlijk meer met elkaar dan echt met mij," bekende Mindy.

"Welke indruk kreeg u van haar?"

"Ik vond haar niet erg aardig."

Nelis knikte. "En de heer Bauwen?"

"Wat?"

"Vond hij haar aardig?"

"Nee."

Nelis knikte opnieuw. "Was dat de laatste keer dat u hen zag praten?" vroeg hij toen.

Mindy beet op haar lip en schudde haar hoofd. Haar lichaam bereikte een kooktemperatuur.

"Wanneer zag u hen nog meer praten?"

"'s Avonds. Na het welkomstwoord."

"Hoorde u waar dat gesprek over ging?"

"Nee. Ik zat aan die tafel daar." Ze wees naar de lange leestafel, in de gang richting receptie. "Ik had een beetje hoofdpijn. Ron en Hannah stonden buiten. Ik zag hen dus wel, maar kon niet horen waar ze over praatten."

"Wat gebeurde er daarna?"

"Ron kwam naar mij toe en we gingen naar boven."

"U heeft iets met uw baas?"

Mindy twijfelde. Haar lijf bereikte een kookpunt.

"U hoeft zich niet te generen," moedigde Nelis haar aan.

"We hebben de avond met elkaar doorgebracht, maar alleen televisiegekeken."

"Ah."

"Werkelijk."

"Ik veroordeel niemand. U keek samen televisie. En daarna?"

"Viel ik in slaap."

"U viel in slaap. Wat gebeurde er later?" Hij keek haar onderzoekend aan en Mindy was ervan overtuigd dat hij van het nachtelijke gesprek afwist. Misschien had hij al met Armando gepraat en had hij daar iets over gezegd, of wisten ze het van broeder Dominicus. Het had – hoe dan ook – geen zin om erover te zwijgen.

"Ik werd wakker en zag dat Ron was verdwenen. Ik ging ervan uit dat hij niet kon slapen en om die reden een wandeling door het hotel of de tuin maakte. Ik besloot hem te zoeken en zag hem kort daarna inderdaad in de tuin lopen."

"Was hij alleen?"

Ongetwijfeld een strikvraag, meende Mindy. De rechercheur wist dat Ron niet alleen was geweest. Hij wilde alleen controleren of Mindy eerlijk was en niets te verbergen had. "Nee. Hij was per toeval Hannah tegen het lijf gelopen en maakte een praatje met haar." Ze keek naar de gezichten van de rechercheurs, op zoek naar tekenen die duidelijk maakten dat ze dit inderdaad al wisten. Of juist niet wisten. Ze zag niets.

Nelis bewoog zijn gezicht af en toe alsof hij een beetje kauwde, maar dat deed hij steeds, ongeacht wat ze vertelde. Het gelaat van Arwin leek bevroren.

"Waarover ging het gesprek tussen juffrouw Verbaan en uw baas?"

"Ik kon hen niet verstaan."

"U ging niet naar hen toe?"

"Nee."

"En de heer Bauwen vertelde het later ook niet?"

"Hannah zei tegen hem dat ze de functie van Lou Verhaagh wilde overnemen. Een functie waar Ron al voor was aangemerkt."

"Ah. Dat zal de heer Bauwen niet prettig hebben gevonden. Concurrentie. Misschien maakte ze hem zelfs duidelijk dat ze haar doel hoe dan ook wilde bereiken of maakte insinuaties naar zijn relatie met u?"

"Ik weet niet wat er precies werd gezegd. Ik was er niet bij."

"En hij vertelde dat niet, toen hij het gesprek noemde?"

"Niet tot in de details." De woorden rolden er een beetje uit en ze voelde zich steeds minder op haar gemak. Ze loog eigenlijk een beetje. Niet helemaal, want ze kende de details van het gesprek werkelijk niet, maar ze loog over het feit dat ze geen enkel detail kende. Ze wist zelf niet precies waarom ze dat deed.

Nelis knikte, terwijl hij haar aan bleef kijken. "Hebt u die nacht meer mensen ontmoet?"

Mindy schrok een beetje van de vraag. Vooral omdat ze hem niet had verwacht. Maar ze herstelde zich meteen. Ze was blij dat het gesprek tussen Ron en Hannah nu in ieder geval voor even van de baan was. Ze knikte haastig. "Die schilder; Armando en een broeder. En ik heb nog een glimp van de jongens opgevangen."

"De jongens?"

"Twee knapen van een jaar of twaalf; Philippe en August. Broeder Dominicus heeft de verantwoordelijkheid over hen, maar ze knijpen er iedere keer tussenuit."

"Broeder Dominicus?" De rechercheur trok vragend zijn wenkbrauwen op.

Mindy wist niet wie hem de informatie had gegeven over haar ontmoetingen van die nacht, maar het was blijkbaar niet de broeder geweest. "Woont deze broeder in het missiehuis?"

Mindy knikte.

"En hij zocht hier die twee jongens?"

Mindy knikte opnieuw.

"Hebt u met hem gepraat?"

"Ja."

"Waarover?"

"Over die jongens."

"Aha. En de schilder?"

"Ik heb met hem een likeurtje gedronken, bij de deur van zijn kamer. We hebben over mijn werk en zijn werk gepraat. Niets bijzonders."

"Weet u dat hij Hannah Verbaan ook kent?"

"Ja."

"Weet u dat hij en Hannah Verbaan een relatie hadden?"

"Hij heeft het niet met die woorden gezegd, maar maakte een opmerking in die richting, toen ik hem later sprak."

"Wat vertelde hij over zijn relatie met Hannah?"

"Niets."

"Dus hij vertelde ook niet dat het slechts van korte duur was en dat het hem veel geld kostte?"

Mindy keek de rechercheur verbaasd aan.

"Ze regelde een grote opdracht voor hem, die hij nooit betaald kreeg."

"Dat wist ik niet."

"U wist wel van de relatie tussen de heer Bauwen en juffrouw Verbaan?"

"Ik wist dat ze ooit een relatie hadden."

"En dat ze hem gebruikte om zelf promotie te maken?"

"Dat heeft hij niet genoemd."

"En dat ze dat opnieuw zou doen?"

Mindy haalde ongemakkelijk haar schouders op.

"Hebt u juffrouw Verbaan na die nachtelijke ontmoeting met de heer Bauwen nog gezien?"

"Nee."

"Goed. Voor nu weet ik genoeg. Mocht u iets te binnen schieten, dan hoor ik dat graag."

Mindy slaakte een zucht van opluchting. Ze wilde al overeind springen, maar bleef ergens halverwege die beweging steken. "Denkt u... dat haar iets is overkomen?" wilde ze weten.

De rechercheurs keken elkaar een paar tellen aan en toen nam Arwin voor het eerst het woord. "We hebben een schoen van haar in het beboste deel van de tuin gevonden. Opmerkelijk, omdat het niet meteen voor de hand ligt dat de betreffende dame na middernacht op pumps een wandeling maakt door dat deel van de tuin."

"Tjonge."

"Bovendien is ze die nacht niet meer in haar kamer geweest."

"Tjonge," mompelde Mindy weer. Ze keek de rechercheurs een voor een aan. "U denkt dat haar iets is overkomen... dat er een misdrijf in het spel is."

"Vooralsnog denken wij niets," zei Arwin. Zijn blik bleef veel te scherp op haar gericht. "We sluiten alleen niets uit."

"Lieve help." Ze boog haar hoofd en liep weer naar de zaal. In haar hoofd heerste chaos. Ze liep de zaal binnen en dwaalde een beetje rond tussen de ijverige groepjes, zonder de moeite te nemen om zich ergens aan te sluiten. Toen ze zich bewust werd van de blik die op haar rustte, keek ze op en zag ze dat Ron naar haar keek. Er lag iets in zijn blik wat ze niet kon thuisbrengen. Beschuldiging?

Pas daarna zag ze dat de rechercheurs de zaal weer waren binnengelopen en regelrecht naar Ron gingen. Mindy keek toe hoe de mannen kort enkele woorden wisselden, en daarna gezamenlijk de zaal verlieten.

"U bent nog niet bij een groep aangesloten?" Het was Lou Verhaagh, die de vraag stelde. Ze had niet gezien dat hij naar haar toe was gekomen en schrok een beetje, terwijl ze veel te heftig haar hoofd schudde. "Niet toe gekomen. Ik werd door de rechercheurs opgehaald. Ze stelden routine vragen. Niets bijzonders. Ik ken Hannah verder niet." Ze praatte te snel, wist ze.

Lou keek haar een beetje verbaasd aan. "Ik weet dat het een routine-onderzoek is. Dat hebben ze erbij gezegd."

"Ja, natuurlijk."

"Maar u hebt nog geen groep?"

"Eh… nee."

Verhaagh keek even om zich heen en liep toen naar een groepje van negen mensen in pak, waarvan twee vrouwen met een zelfverzekerde uitstraling die voor Mindy's gevoel aan arrogantie grensde.

Uitgerekend bij hen deelde Verhaagh haar in.

De negen deelnemers bekeken haar met een wat koele belangstelling en gingen vervolgens door met het rollenspel, dat een onderdeel van de workshop was. Mindy begreep dat ze daarbij de rol van een van de personeelsleden toebedeeld kreeg, zonder dat het expliciet werd gezegd, en luisterde half naar de monotone peptalk van een buikige man met rood hoofd, die nog geen mier aan het sjouwen zou krijgen. De andere deelnemers namen de rol van werknemer heel serieus en gingen een conversatie aan. Een van de vrouwen reageerde overdreven emotioneel. Ze dacht zeker dat ze aan een toneelstuk meedeed.

Mindy probeerde interesse te veinzen, maar slaagde daar niet in.

Tegen de middag gaf ze het op. Het groepje had haar al iets eerder opgegeven en liet haar min of meer een beetje links liggen en zij maakte het gemakkelijker voor hen door aan te geven dat ze migraine had en zich daarom terugtrok.

Ron was tegen die tijd weer in de zaal en Mindy vroeg zich af of ze met hem moest praten. Maar een korte blik op haar baas maakte duidelijk dat hij het gesprek met de rechercheurs al weer vergeten was en zijn hart en ziel in de toebedeelde rol van de workshop legde. Blijkbaar had het gesprek met de rechercheurs hem niet van zijn stuk gebracht. Maar misschien was er wel niets wat Ron van zijn stuk kon brengen.

Mindy besloot hem niet te storen en trok zich stilletjes terug.

In eerste instantie voelde ze opluchting, toen ze de deur van de zaal weer achter zich sloot. Pas daarna kwam het schuldgevoel. Ze probeerde zichzelf voor te houden dat een schuldgevoel nergens op sloeg, maar ze kon niet helpen dat ze werkelijk hoofdpijn kreeg. Haar aanvankelijke plan om naar haar kamer te gaan, liet ze varen. In plaats daarvan liep ze de tuin van het hotel in.

Het was de eerste keer dat ze daadwerkelijk de prachtige tuin in liep. Ze had natuurlijk al vanuit het hotel gezien dat het eerder op een park dan op een echte tuin leek, en dat er wandelpaadjes tussen de vijvers door kronkelden en in de bossen verdwenen.

In de bossen waar de schoen van Hannah was gevonden.

Die gedachte deed haar even aarzelen. Maar het was midden op de dag, de zon scheen en er waren meer gasten die door de tuin wandelden. Het was absurd om zich allerlei spookdenkbeelden in het hoofd te halen. Zelfs als die schoen daar was gevonden en zelfs als er misschien werkelijk iets was gebeurd.

Ze had het gevoel alsof ze was omgeven door een plastic bubbel, die het bijna onmogelijk maakte om adem te halen. Ze had behoefte aan frisse lucht; aan verse zuurstof. Ze moest echt even buiten rondlopen om weer normaal te kunnen functioneren.

Pas nu ze het pad volgde, besefte ze dat ze de afgelopen dagen nauwelijks buiten was geweest. Misschien was het haar niet opgevallen omdat ze de laatste tijd toch al niet zoveel buiten kwam. Ze kwam er bijna nooit aan toe. Ze had lange werkdagen, die het bijna onmogelijk maakten om nog tijd te vinden voor een wandeling door park of bos, en in de weekenden waren er zoveel andere zaken die ze moest regelen zoals boodschappen doen, huishoudelijke taken uitvoeren en het nakomen van de sociale verplichtingen.

Toen ze jong was, bracht ze een groot deel van haar dag buiten door. De uren in school hadden altijd te lang geduurd en ze kon zich nog heel goed herinneren dat ze delen van de les miste omdat ze dan verlangend naar buiten staarde. Alles was veranderd toen ze ouder werd. Maar gebeurde dat niet altijd?

Ze schoof de gedachte aan haar jeugd resoluut aan de kant en wandelde verder. Het was aangenaam weer. Het was niet echt warm, maar de zon kwam net door en zorgde voor een aangename sensatie op haar huid. Er stond slechts een zacht briesje, dat met haar haren speelde.

Mindy haalde diep adem en volgde het pad, voorbij de vijver aan de rechterkant die in het bos leek te eindigen. Grote bladeren van waterlelie dreven in groepjes op het donkere gladde oppervlak. Op het gras, rechts van de vijver, stonden bankjes.

Waar zou de recherche de schoen van Hannah hebben gevonden?

Ze wierp nog een blik in de donkere bebossing, die een deel van de vijver omzoomde, staarde naar het donkere water en huiverde.

Onwillekeurig keek ze om zich heen, op zoek naar andere gasten van het hotel. Verderop volgde een echtpaar op leeftijd gearmd het pad dat rond de vijver in het centrum van de tuin liep. Twee kinderen zaten aan de waterkant van diezelfde vijver en keken naar de eenden.

Mindy volgde toch maar weer het pad, over het bruggetje heen, waaronder de vijvers met elkaar in verbinding stonden. Ze vroeg zich af of het een goed idee was om verder de tuin in te lopen na alles wat met Hannah was gebeurd – of gebeurd kon zijn – maar draaide zich toch niet om. Zolang ze niet een van de smalle paadjes volgde die het bos in liepen, kon het vast geen kwaad. Iedereen kon haar hier zien.

Ze volgde het bredere pad om de grote vijver in het midden, waar het oudere stel ook hun wandeling maakte en open en bloot voor iedereen zichtbaar was, en wierp af en toe toch schuwe blikken in de smalle paadjes die als groene tunnels het bos rechts in leidden.

De tijd dat ze eindeloos in haar eentje door de velden zwierf, lag eindeloos ver achter haar. Vroeger was álles anders.

Haar gevoel van onbehagen nam af toen ze om de vijver heen liep en de bebossing, rechts van haar, achter zich had gelaten. Ze keek naar de drijvende leliebladeren, die ook op deze vijver ruim vertegenwoordigd waren, en naar de bankjes die een beetje eenzaam om de vijver opgesteld stonden.

Ze probeerde zich voor te stellen hoe broeders en paters in vervlogen tijden het park opzochten om tot bezinning te komen. Ze zag voor zich hoe de broeders en paters op de bankjes zaten en over het water uitkeken. Ze glimlachte om die fantasie, totdat ze opeens zag dat een beeld uit haar droomwereld niet verdween. Op een bankje, richting hotel, bleef een broeder zichtbaar.

Ze herkende zijn gestalte vrijwel meteen.

Het was broeder Dominicus.

Het was bijna vreemd om hem overdag te treffen.

Verheugd om een bekend gezicht te zien, liep Mindy haastig naar hem toe.

Hij keek niet om, maar schrok ook niet toen ze naast hem plaatsnam.

"Ik had niet verwacht u hier te zien," zei Mindy.

Nu wendde hij zich naar haar toe en glimlachte.

"Stom natuurlijk," zei Mindy meteen verontschuldigend. "Aangezien u hier woont."

"Is het niet heerlijk hier?" zei de broeder. Hij keek weer naar de vijver en naar de verder gelegen bossen. "Een oase van rust."

Mindy knikte. "Hebt u de jongens inmiddels gevonden?"

"Ik weet waar ze zijn."

"Gelukkig."

Hij keek weer naar haar. "Hoe is het met u?"

"Goed. Denk ik." Ze aarzelde.

De blik van de broeder was onderzoekend. "U klinkt niet erg overtuigend."

"Een beetje verward, vrees ik. Ik heb u over Hannah Verbaan verteld?"

"Ja."

"Ik vraag mij steeds af wat haar is overkomen."

"Misschien is haar niets overkomen."

"Ik hoop van niet. Maar dat is onwaarschijnlijk. Een vrouw als Hannah verdwijnt niet zomaar. Niet als alle spullen nog steeds in de hotelkamer liggen."

"Ach… mensen doen soms vreemde dingen."

"Ze hebben haar schoen in het bos gevonden."

"Ah. Haar schoen."

"Dat is toch vreemd?"

"Ik neem aan van wel."

De rust van de broeder maakte Mindy wat neurotisch. "U kent haar natuurlijk niet, maar ze is niet het type vrouw dat 's nachts door de bossen wandelt."

"Oh, maar ik ken haar."

"U kent Hannah Verbaan?"

De broeder knikte.

"Oh. Dat wist ik niet. Hoe…"

"Ik ken u ook. En uw baas. Zelfs de schilder."

"Maar hoe…" Mindy onderbrak zichzelf. "Armando zei dat hij u niet kende. Dat hij u nog niet had gezien." Ze noemde maar niet dat Armando had gezegd dat de broeder misschien wel een spook was geweest. Dat was tenslotte een grap geweest. "En Ron heeft het ook niet over u gehad."

"Oh lieve hemel." Hij glimlachte weer. "Misschien moet u zich niet te druk maken over juffrouw Verbaan."

"Ik heb een gesprek gehad met de recherche. Ze stelden vragen over Ron en Armando. Ze kennen Hannah allebei. Ron heeft nog met haar gepraat, die nacht dat ze verdween. Armando liep die nacht ook rond in het hotel. Ik kan het niet helpen dat ik af en toe denk…" Ze onderbrak zichzelf. "Ik weet niet meer wat ik moet denken."

"Misschien moet u daar uw hoofd niet over breken," zei de broeder.

Ze keek hem aan. "Maar ik ben bang dat ik mensen ga ontwijken, verkeerd ga denken… ten onrechte. Of misschien doe ik het tegenovergestelde. Misschien vertrouw ik de verkeerde personen. Ik voel mij gewoon zo verward."

"Er is een oud gezegde: het donkerste uur is het uur voordat de zon opkomt."

Mindy keek de broeder wat zorgelijk aan. "Ik weet het niet…" mompelde ze.

"Problemen hebben de neiging zichzelf op te lossen, als wij ons niet erin mengen om het nodeloos te verzwaren. Haal maar eens gewoon diep adem. Dat geeft rust," zei hij. Zijn blik was weer naar voren, richting vijver en het bos, gericht.

Mindy haalde diep adem. Ze keek ook naar de vijver en naar het bos. Ze voelde nog steeds verwarring en dacht aan de schoen van Hannah, ergens in dat bos.

Ze haalde nog maar een keer diep adem en keek naar rechts, naar de toren van de kapel, die als een stille reus oprees uit het groen en zijn stempel drukte op het gebouw. Haar blik gleed verder over de muren van het voormalige klooster en weer terug naar de vijver. Ze voelde dat ze een beetje rustiger werd. "Ik zag het daarnet voor mij," bekende ze. "Broeders en paters die hier rondliepen, de handen gevouwen in een stil gebed."

Broeder Dominicus glimlachte. "Het is lang geleden dat we hier daadwerkelijk rondliepen, woonden, leefden, werkten en lesgaven. Maar het verleden vermengt zich soms met het heden. Sommigen denken dat dat slechts in hun hoofd gebeurt. Maar wie bepaalt dat?" Hij keek haar even aan.

Mindy glimlachte maar een beetje. Soms begreep ze niet zoveel van de dingen die hij zei. De broeder legde het ook niet uit. Hij richtte zijn blik weer op de vijver.

Ze bleef een tijdje naast hem zitten zonder verder nog iets te zeggen. Ze zaten alleen maar op het bankje en tuurden in de verte. Ergens voelde dat bijna goed. Alsof de kleine, rondbuikige man de rust uitstraalde, die ze nodig had.

Het was de broeder, die als eerste opstond. "Ik vrees dat ik je moet verlaten," zei hij. "Maar pieker niet over de dingen die er zijn gebeurd of die gaan gebeuren. Het lost je zorgen voor morgen niet op. Het ontneemt alleen vandaag je kracht."

Hij knikte haar vriendelijk toe en verdween stilletjes richting hotel.

Mindy wendde zich van hem af en keek weer naar de vijver en de bossen. Daarna wierp ze nog een blik in de richting van het hotel, maar broeder Dominicus was al verdwenen.

Misschien moest ze opstaan en iets gaan doen, maar ze wist niet wat. Terug naar de Wim van Deursen-zaal, zag ze niet zitten. Ze werd al benauwd bij de gedachte om zich weer tussen de mensen te mengen en te doen alsof er niets aan de hand was. Al die andere managers gingen door met de workshop, omdat er toch niets anders was wat ze konden doen. Ron ging door met de workshop. De wereld draaide blijkbaar werkelijk door. Ook als iemand zomaar opeens verdween.

Maar zij kon het niet opbrengen. Wat was ze voor een toekomstig manager, als problemen haar meteen verlamden? Ze mocht Hannah niet eens.

Dat was echter niet het enige wat haar dwarszat. Ze voelde een licht wantrouwen ten opzichte van Ron, wat haar nog veel meer stoorde. Ze was verliefd op Ron zo lang ze zich herinnerde. Ze had gefantaseerd over een verhouding met hem en een bruiloft in het wit, en nu… nu twijfelde ze aan hem. En waarom dacht ze steeds aan die schilder? Het was een raar figuur met vreemde manieren; zo anders dan zij. Waarom dacht ze aan hem?

Ze haalde nog maar een keer diep adem. Dat gaf rust, zei de broeder. Hij had veel meer gezegd. Ze begreep hem niet altijd, hoewel zijn woorden evengoed in haar hoofd rondzweefden.

"Moet je niet interessant doen in een toneelspelletje voor mensen die zichzelf erg belangrijk vinden?" hoorde ze iemand achter zich vragen. Ze schrok. Ze herkende de stem onmiddellijk. Het was Armando.

Hij kwam naast haar zitten. Dit keer droeg hij geen tuinbroek, maar vale jeans, die met kleurige stukken was gerepareerd. Het shirt toonde de afbeelding van een getekende maffe schilder met een kleurige kwast in zijn handen. Armando droeg dit keer een leren Indiana Jones-hoed.

"Zie je ons zo? Als een stel toneelspelers met ego?"

"Nee. Jou niet."

"Ik ben een van hen."

"Niet echt."

Mindy keek naar hem. Ze zag geen spottende uitdrukking. Slechts oprechtheid.

"Je kent mij niet," zei ze toen.

"Ken je jezelf?"

"Rare vraag."

Hij gaf geen antwoord en keek voor zich uit.

"Heeft de recherche met je gepraat?" vroeg Mindy.

"Ja."

"En?"

"Ik heb haar niet ontvoerd en vermoord."

"Ah bah, Armando, spot daar niet mee."

Hij haalde zijn schouders op. "Iedereen schijnt ervan overtuigd dat haar iets is overkomen. Dat betekent dat er een dader is. En als er een dader is, lig ik voor de hand, aangezien ik haar ken, haar absoluut niet mag en daar alle reden toe heb."

"De rechercheur zei zoiets."

"Ah. Toen je vertelde dat ik 's nachts door het hotel wandelde?"

"Wie zegt dat ik dat vertelde?" vroeg Mindy. Ze schrok van zijn opmerking en voelde zich schuldig en ongemakkelijk.

"Jij bent volgens mij de enige die mij heeft gezien. Hoewel je vriend annex baas het waarschijnlijk ook wist."

"De broeder ook."

"Welke broeder?"

"Broeder Dominicus. Je weet wel…"

"Ah, je noemde hem eerder. De mysterieuze broeder."

"Hij kende je."

"Typisch. Ik ken hem niet. Misschien was hij het wel."

"Die het vertelde?"

"Die Hannah ontvoerde en vermoorde."

"Broeder Dominicus?" Mindy keek Armando met opgetrokken wenkbrauwen aan. "Lieve hemel, dat geloof je zelf toch niet?"

"Wel… je weet niet of het werkelijk een broeder is."

"Natuurlijk weet ik dat," reageerde Mindy een beetje geïrriteerd.

"Hoe dan?"

"Hij ziet eruit als een broeder."

"Ik zie eruit als een slonzige schilder, maar ik kan best een seriemoordenaar zijn."

"Doe niet zo idioot."

"En datzelfde geldt voor je baas. Misschien is hij wel heel anders dan je denkt."

"Alsjeblieft zeg…"

"Je weet het niet."

Mindy zweeg.

"Maar eerlijk gezegd denk ik dat ze niet is ontvoerd of vermoord," zei Armando toen.

"Hoe verklaar je dan het feit dat er een schoen van haar in het bos is gevonden en dat ze alles op haar kamer heeft achtergelaten, terwijl ze zelf verdwenen is?"

"Dat kan ik niet verklaren. Maar dat wil nog lang niet zeggen dat die verklaring dan ook niet bestaat. Alleen dat ik hem niet ken."

"Ik weet het niet…" Mindy keek weer voor zich uit. "Ik heb wel gezegd dat je rondliep in het hotel. Ik bedoelde er niets mee en…"

"Alsjeblieft. Geen verontschuldigingen. Natuurlijk heb je dat gezegd. Waarom zou je dat niet doen? Het is toch gewoon zo?" Ze keek hem weer aan. "Maar het voelt verkeerd."

"Waarom?"

"Omdat je daardoor misschien verdacht bent of zo."

"Dat ben ik toch al." Hij glimlachte weer.

"Je maakt je daar niet al te druk over?"

"Waarom zou ik?"

"Omdat ze je misschien oppakken op verdenking van moord of zo?"

"Zonder bewijs?" Hij grinnikte.

"Mindy?"

Mindy keek in de richting van het hotel en zag Ron staan. Ze schoot meteen overeind. Was de workshop afgelopen? En wist Ron dat ze zijn nachtelijk gesprek met Hannah had genoemd? Was hij kwaad?

"Ah, je verloofde," merkte Armando op.

"Doe niet zo idioot."

Armando grijnsde weer en stond op, terwijl Ron hun richting uit liep. "Ze vinden d'r niet," fluisterde hij. "Ik heb haar goed verstopt."

Verbijsterd keek Mindy hem aan. Hij lachte en liep weg.

"Wie was dat?" vroeg Ron, toen hij haar had bereikt.

"Armando. Kunstschilder. Hij is hier om inspiratie op te doen voor een expositie in het hotel."

"Vreemd figuur."

"Hij is een beetje apart."

"Wat doe je hier eigenlijk?"

"Eh... zitten."

"Ja, die indruk had ik al. Je was opeens uit de zaal verdwenen."

"Ik kreeg hoofdpijn. De drukte en dat gedoe over Hannah werd mij even te veel."

"En het feit dat de recherche het vuur aan je schenen legde?"

"Ze stelden gewoon wat vragen."

"En je noemde het gesprek tussen Hannah en mij."

"Daar wisten ze al van af." Of ze hadden die indruk gewekt, besefte Mindy. Ze zei het niet hardop. Ze had op verdedigende toon geantwoord, besefte ze.

"Hm." Ron wroette met de punt van zijn schoen in de aarde. "Denk je dat ik iets met haar verdwijning te maken heb?" vroeg hij haar toen.

"Nee. Natuurlijk niet."

"Ik sta volgens mij hoog op de lijst van verdachten bij de recherche. Ik kende Hannah, heb ooit iets met haar gehad en kon nu haar bloed drinken. Bovendien was ze concurrentie in de strijd om promotie."

"Armando kende haar ook," liet Mindy zich ontvallen.

"Die schilder?"

Mindy knikte. Ze had eigenlijk al spijt van haar opmerking.

"Hoe kende hij Hannah?"

"Hij heeft ook iets met haar gehad en ze heeft hem afgezet voor een behoorlijk aantal schilderijen."

"Ah. Wat weet hij over haar verdwijning?"

"Niets."

"Typisch."

"Net zomin als jij," reageerde Mindy wat scherper dan bedoeld.

"Je verdedigt hem."

"Nee. Maar niemand weet wat er precies met Hannah is gebeurd. Het is verkeerd om dan insinuaties te maken."

"Dat deed ik niet. Ik vroeg me alleen af wat hij over haar verdwijning wist."

"Hetzelfde als wij."

"Hm." Ron keek uit over de vijver. "Nou ja, het heeft weinig zin om te speculeren. Niemand weet waar ze is en wat er is gebeurd. Als er tenminste iets is gebeurd. Ik betwijfel dat, eerlijk gezegd. Bij haar weet je het maar nooit."

"Armando maakte een soortgelijke opmerking."

"Heb je iets met hem?"

Mindy keek Ron verbouwereerd aan. "Hoe kom je daar in hemelsnaam bij?"

"De manier waarop je zijn naam noemt."

"Alsjeblieft zeg."

Hij glimlachte schaapachtig. "Ik geloof dat ik naar jaloezie neig."

"Waarom?"

"Ik ben verliefd op je. Dat weet je."

Mindy glimlachte wat onzeker.

"Zullen we binnen iets gaan eten?" stelde Ron toen voor. "We kunnen toch niets aan de situatie veranderen. Dan kunnen we net zo goed iets eten en verdergaan met het seminar. Of Hannah al dan niet opduikt, staat daarbuiten. Het leven gaat door en het seminar is belangrijk voor de toekomst. Betrokkenheid – ongeacht wat er gebeurt – laat zien dat we de juiste mensen zijn voor de juiste plekken. Dat is voor jou net zo belangrijk als voor mij, want ik ben niet de enige die over jouw promotie gaat."

"Hoe kun je je nu gewoon op het seminar concentreren, terwijl Hannah misschien iets afschuwelijks is overkomen?" ontviel Mindy. Ze kon haar verbijstering niet meer onderdrukken.

"We weten niet of haar iets is overkomen. We weten helemaal niets. En met hier doelloos rondlopen en dingen in onze hoofden halen, winnen we ook niets."

Mindy wist dat daar een kern van waarheid in zat, maar ze kon zich evengoed niet voorstellen dat ze zich onder de huidige omstandigheden op haar werk kon concentreren.

Maar ze kon in ieder geval mee gaan eten, nam ze aan. Misschien zag ze het daarna anders. "Laten we maar iets gaan eten," mompelde ze daarom. Ze stond op en liep met Ron terug naar het hotel.

"Heb je broeder Dominicus nog gezien?" vroeg ze.

"Wie?"

"Broeder Dominicus."

"Ik ken geen broeders. Hoe kom je daar opeens bij?"

"Ik zag hem een paar keer in het hotel. De eerste nacht toen ik je met Hannah zag praten en de nacht daarna, toen je in mijn kamer sliep en de jongens de bal tegen mijn raam schopten."

"Welke jongens?"

"Hij heeft de verantwoordelijkheid over hen, maar ze spoken van alles uit en verstoppen zich voor hem. Hij liep twee nachten naar hen te zoeken."

"Hij liep rond in het hotel toen Hannah verdween?"

Mindy knikte.

"Hoe weet je dat hij echt een broeder is?"

"Natuurlijk is het echt een broeder. Hij zei dat hij je kende."

"Ik ken geen broeder Dominicus. En misschien kun je beter bij hem uit de buurt blijven. Je weet maar nooit."

"Het is gewoon een broeder uit het missiehuis," mompelde Mindy. Maar ze voelde toch een lichte twijfel. Was ze werkelijk naïef?

Dat ontbrak er nog maar aan, bedacht ze mismoedig. Nu ging ze zelfs de broeder wantrouwen. Alsof het nog niet erg genoeg was dat ze twijfels voelde als ze met Ron en Armando praatte. De laatste opmerking van Armando, vlak voordat hij wegliep, herhaalde zich in haar hoofd. Hij had het plagend bedoeld. Of niet? Ze schudde onwillekeurig haar hoofd en liep met Ron door het hotel naar het restaurant, waar een lunch klaarstond.

De meeste deelnemers van het seminar zaten al aan tafel en bespraken luidruchtig de workshop van die ochtend. Niemand praatte over Hannah. Alsof ze zomaar van de aardbodem was verdwenen en geen enkele herinnering had achtergelaten. Zelfs niet in de hoofden van de mensen die haar kenden.

Eric Verbaan had ze niet meer gezien.

HOOFDSTUK 11

Ze probeerde het.

Tijdens de lunch had ze stilletjes op haar stoel gezeten, terwijl de gesprekken van de deelnemers van het seminar om haar heen veranderden in een monotoon gezoem, dat haar hoofd vulde. Ze had niets meegekregen van de gevoerde gesprekken en er nog veel minder actief aan deelgenomen. Ze had zich op haar bord geconcentreerd en een beetje gegeten, terwijl de stemmen om haar heen gonsden als bijen.

Ze had zelfs niet op Ron gelet.

Toen ze de groep naar de zaal was gevolgd, had Ron zich bij haar gevoegd en haar onopvallend aangeraakt. "Voel je je niet goed?"

"Een beetje verward en moe. Het gaat wel over."

Hij knikte. "We hebben zo meteen een workshop over bedrijfs-voering. Ik weet zeker dat het je boeit en dat je er in de toekomst veel aan hebt. Probeer je gewoon daarop te concentreren. Daar ligt toch je hart en de afleiding doet je zeker goed."

En dat had ze dus gedaan. Dat had ze dus geprobeerd, beter gezegd.

Het groepje, waar ze min of meer toevallig bij was ingedeeld, was enthousiast. Bedrijfsvoering was een belangrijk onderdeel voor de managers. De beste mensen waren ingehuurd om hen te leren hoe ze het bedrijf nog beter konden profileren en hoe ze de winst verder omhoog konden schroeven, zonder daarbij het waarde-aspect uit het oog te verliezen. Goede bedrijfsvoering was niet alleen een garantie voor hun eigen baan, maar het bood ook zekerheid aan alle mensen die als radertjes in de organisatie meedraaiden en hun brood daarmee verdienden.

Mindy begreep het belang ervan goed. Maar haar inbreng bij de opdrachten die ze als groep moesten uitvoeren bleef beperkt en uiteindelijk merkte ze dat ze min of meer buiten spel stond. Ze kon het haar groepsleden niet verwijten. Het gebeurde automatisch. Haar rol had iets weg van de etalagepop in de winkel. Misschien zelfs dat niet eens. Ze hadden niets aan haar en ze voelde geen enkele noodzaak om dat te veranderen. Ze besefte gewoon op een bepaald moment dat ze niet meer dan decoratie binnen de groep was, waar nauwelijks meer aandacht aan werd besteed.

Af en toe zag ze de rechercheurs in de zaal opduiken. Ze namen wel eens iemand mee voor een gesprek, maar een groot deel van de tijd was het volkomen onduidelijk wat ze in de zaal deden. Toen ze uiteindelijk naar haar toe kwamen en haar vroegen of ze nog een moment voor hen had, was ze bijna opgelucht. Niet helemaal, want ze maakte zich zorgen over het mogelijke onderwerp van het gesprek. Ze was bang dat ze haar verder aan de pols zouden voelen over de discussie die Ron die nacht met Hannah had gevoerd, vlak voordat ze verdween. Ze geloofde niet dat ze verder kon drijven op halve waarheden. Het komende gesprek baarde haar dus zorgen. Maar het was prettig om met legitieme reden de zaal te verlaten.

Ze knikte en liep met de rechercheurs mee. Toen ze de zaal uit liepen, nam haar bezorgdheid opeens heftig toe. Rechercheurs waren geen goed nieuws brengers, wist ze. Wat als ze Hannah hadden gevonden? Bijvoorbeeld op de bodem van de vijver?

Ze huiverde bij die gedachte en had het opeens een beetje koud toen ze tegenover hen aan een tafeltje bij de hoge ramen ging zitten.

"Het betreft de broeder die u hebt gesproken," begon Nelis. Zijn wenkbrauwen gingen een beetje op en neer, als bij een fronsende buldog.

Mindy haalde opgelucht adem – het betrof dus niet Ron – en keek hem vragend aan. "Broeder Dominicus?"

"Weet u zeker dat hij zo heette?"

Mindy knikte.

"Vreemd."

Mindy keek hem vragend aan.

"In het missiehuis kennen ze geen broeder Dominicus," verklaarde Nelis.

"Ze kennen geen enkele broeder die 's nachts door het hotel wandelt op zoek naar twee jongens," vulde Arwin aan, terwijl zijn priemende haaienogen op Mindy gericht bleven.

"Maar ik heb hem daarstraks nog gezien," bracht Mindy er verbijsterd tegen in.

"Daarstraks?" De wenkbrauwen gingen nog een keer extra op en neer. Mindy kon het niet helpen. Ze staarde steeds naar die bewegende wenkbrauwen alsof het om een kermisattractie ging. Misschien leefden die zware witte wenkbrauwen wel een eigen leven, bedacht ze. Het was een rare gedachte, die nergens op sloeg. Maar op dat moment leek niets meer logisch.

"Is hij momenteel ergens in de buurt?" vroeg Nelis, terwijl hij om zich heen keek, alsof hij verwachtte dat de oude broeder hen vanuit een verborgen plek gadesloeg.

Mindy wist dat hij niet in de buurt was, maar keek toch ook maar even om zich heen en schudde haar hoofd.

"Hoe zag hij eruit?"

"Klein, mollig, rond gezicht en heldere grijsblauwe ogen. Hij had wat warrig grijs haar en een blos op de wangen. En hij droeg natuurlijk zo'n bruin gewaad."

"Ah, natuurlijk," zei Nelis, met de intentie van iemand die het alles behalve natuurlijk vond. "Zou u mij een plezier willen doen?" vroeg hij toen.

Mindy knikte, en keek hem vragend aan.

"Als u hem weer treft, wil ik hem graag zelf spreken. Kunt u daarvoor zorgen?"

"Ik zal het doorgeven."

"Dat hoeft niet. Het is voldoende als u dit nummer draait en hem vervolgens aan de praat houdt." Nelis overhandigde haar een kaartje met zijn telefoonnummer.

Mindy nam het verbaasd aan, keek erop en richtte haar aandacht toen weer op de rechercheur. "U denkt dat hij iets met Hannahs verdwijning te maken heeft," begreep ze.

"Ik wil hem alleen graag spreken, aangezien hij de nacht van haar verdwijning rondliep in het hotel."

"Hij kan er helemaal niets mee te maken hebben. Het is gewoon een oude, vriendelijke broeder, op zoek naar twee jongens." Ze schudde onwillekeurig haar hoofd.

"Natuurlijk. Natuurlijk," gaf Nelis toe. Maar zijn ogen behielden de achterdocht, die ongemerkt erin was geslopen.

"Echt niet," probeerde Mindy nog een keer, alsof ze zichzelf wilde overtuigen.

De rechercheurs zwegen.

"Is ze gevonden?" vroeg Mindy toen. Ze huiverde. Het gebeurde vanzelf.

Maar de rechercheurs schudden hun hoofd.

"We werken eraan," zei Nelis.

Mindy begreep dat ze nog geen stap verder waren. Ze knikte.

"Kan ik gaan?" vroeg ze.

De rechercheurs keken elkaar aan en knikten toen.

Mindy stond op en liep naar de deur van de zaal. De kou was niet meer uit haar lijf verdwenen en stond in schril contrast met de warme zon, die buiten haar best deed. Toen ze haar hand op de klink van de deur legde en naar binnen keek, bleef ze in haar beweging steken. Ze staarde naar de mannen in pak en de vrouwen in hun zakelijke outfits, die volledig opgingen in de workshop over bedrijfsvoering. Een van hen was verdwenen, maar voor hen ging het leven door.

The show must go on. Een liedje van Queen. Het deed er niet toe wat verder gebeurde; het leven ging door. Het bedrijf draaide door.

Ze wilde naar binnen gaan, maar besefte dat ze het niet kon.

Het was idioot. Ze veranderde niets aan de situatie door buiten te blijven en te piekeren. Maar ze kon het eenvoudigweg niet meer opbrengen om naar binnen te gaan.

Ze keek weer naar al die keurige mensen en rilde.

Daarna draaide ze zich abrupt om en liep weg.

Ze had geen doel voor ogen toen ze voorbij de lange leestafel en de receptie liep en de gang met de kleurige bordjes volgde tot aan de kleine hal met de glazen deur rechts van haar.

Ze zag nog net hoe de kleine broeder Dominicus door de Stille Gang de kapel binnenliep. Ze duwde tegen de glazen deur en merkte tot haar verbazing dat hij openschoof. Toch nog wat onzeker liep ze door de Stille Gang met zijn bakstenen zuilen en welvingen. Vanuit haar ooghoeken zag ze de foto's van de tijd waarin St. Willibrordhaeghe nog een klooster was, maar ze besteedde er weinig aandacht aan.

Ze liep via het portaaltje de kapel in.

Het was vreemd om de kapel van binnen te zien. De statige vormgeving aan de buitenkant was ook hier te herkennen. Hoge gewelfde plafonds, bakstenen zuilen en een eerbiedige verhoging waarop het altaar stond.

De zon drong door de glas-in-loodramen heen en tekende een warm kleurenspel op de stoelen, die de functie van de kerkbanken hadden overgenomen. Een stille, hoge ruimte, waarin geen mens aanwezig was. Zelfs geen broeder Dominicus.

Had ze zich vergist? Ze geloofde van niet.

Ze keek rond in de kapel en zag de biechtstoelen en de gordijnen achter haar.

Er waren zoveel hoeken en nissen, waarin een kleine broeder zich kon verstoppen, als hij dat werkelijk zou willen. Maar waarom zou hij dat willen?

Mindy liep langs de biechtstoelen en keek naar binnen. Misschien moest ze Nelis bellen. Ze speelde met de gedachte, maar pakte niet haar telefoon of het kaartje dat hij haar had gegeven. Misschien had ze angst moeten voelen, maar in deze omgeving was dat bijna onmogelijk. Of was ze eenvoudigweg werkelijk zo naïef als de anderen dachten?

Toen ze voetstappen hoorde, verstarde ze toch even.

Ze keek naar de deur van de kapel en zag een jong stel naar binnen wandelen. Ze waren voor in de twintig. Hij was gekleed in een wat pofferige jeans en een bloes met te veel franje en zij droeg een kleurig jurkje, dat net iets te strak zat voor haar mollige figuur. Hun blikken kruisten elkaar maar even.

"Oh sorry. Ik wist niet dat hier iemand was," reageerde het meisje verontschuldigend. "Bij de receptie zeiden ze dat een van de personeelsleden de kapel zou openen, zodat we een kijkje konden nemen. Vanwege de bruiloft, ziet u. Marc en ik gaan trouwen. En we wilden dat hier doen. In het kapelletje. Nou ja, ik wilde het hier doen. Marc maakt het allemaal niet uit. Hij vond het gemeentehuis wel voldoende, maar ik zeg, nee Marc, ik zeg, ik wil echt trouwen. Met witte jurk en zo in de kerk. Dat zei ik. Maar…"

"Sorry, ik was hier toevallig," onderbrak Mindy haar. "Ik zag dat de glazen deur open was en ik dacht dat iemand naar binnen liep die ik kende. Maar ik vergiste me blijkbaar." Nog voordat de jonge vrouw kon reageren, liep Mindy hen haastig voorbij, de kapel uit. Wellicht was de kleine broeder nog steeds in de kapel, maar Mindy wist het niet meer zo zeker. Misschien werd ze overspannen en zag ze spoken of zo.

Een gedachte die werd bevestigd toen ze door de glazen deur de hal waar de stenen St. Willibrord de wacht hield, weer binnen wilde gaan. Ze werd daarbij bijna onder de voet gelopen door een vrouw die ze maar al te goed kende.

Het was Hannah Verbaan, die met doorgelopen make-up, slordig opgestoken haar en met haar kleding in de kreukels op kousenvoeten driftig voorbij beende…

HOOFDSTUK 12

In eerste instantie was Mindy te verbaasd om iets te doen. Ze keek de vrouw alleen maar verbijsterd na.

Pas toen een gezette man van ergens in de vijftig haar passeerde en haastig achter Hannah aan liep, kon Mindy zichzelf ertoe zetten om achter hen aan te lopen, richting receptie.

Ze zag Hannah bij de receptie staan.

"Ik wil dat je de politie waarschuwt. Nu," snauwde Hannah tegen de receptioniste. Haar stem had de koele zelfverzekerde klank verloren, die Mindy bij het eerste treffen was opgevallen.

"Eh... er zijn twee rechercheurs in het hotel. Ik geloof dat ze in de buurt van de Wim van Deursen-zaal zijn," reageerde de receptioniste ontdaan, terwijl ze naar Hannah keek. "Vanwege u. Omdat u zo plots was verdwenen."

"Die rechercheurs kunnen zich beter bezighouden met de criminelen die blijkbaar vrije toegang in dit hotel hebben. Dan doen ze tenminste nuttig werk." Hannah wierp de vijftiger, die inmiddels bij haar stond, een woedende blik toe. "Idioot," siste ze.

De vijftiger haalde zijn schouders op. "Het was je eigen idee."

"Je hebt mij misleid. Vrijheidsberoving. Ik zal ervoor zorgen dat je vast komt te zitten."

"Waarvoor?"

"Excuseer mij," onderbrak de receptioniste de twee. "U bént toch Hannah Verbaan?"

"Daar kun je donder op zeggen. En ik wil naar mijn kamer. Ik kan mijn kamer niet meer in. Gekkenwerk. Kijk hoe ik eruitzie. Dankzij die idioot." Ze keek de man weer woedend aan.

"Ik heb niets gedaan," reageerde hij onschuldig.

"Oh? Niets gedaan? Niets gedaan? Je hebt gelogen!"

De receptioniste keek kort zorgelijk naar de twee bij de balie en drukte onopvallend een nummer in.

Mindy, die zich enigszins terug had getrokken in de computerhoek, vlak bij de balie, zag dat de receptioniste iets door de hoorn zei, maar kon de woorden niet verstaan. Ze wist alleen dat het slechts om een korte mededeling ging.

"Ik heb niets gedaan," ging de man in op de beschuldiging van Hannah. "Tenzij een aanmelding na middernacht bij de receptie tot misdaad wordt gerekend."

"Je deed alsof je Fynn Virtanen was. Dat heb je misdaan. Je liet mij geloven…"

De man liet haar niet uitspreken. "Ik deed helemaal niet of ik Fynn Virtanen was. Ik noemde gewoon mijn naam bij de balie; Vince van Dalen."

"Je deed alsof je Fynn Virtanen was," hield Hannah vol.

"Jij dacht dat ik Fynn Virtanen was. Ik noemde gewoon mijn naam en jij verstond dat blijkbaar verkeerd."

"Dat weet je, dat ik je verkeerd verstond. Ik noemde je vanaf het begin Fynn. En je verzweeg dat het je echte naam niet was."

"Het had toch zo kunnen zijn dat je een spraakgebrek had? Je bood jezelf meteen aan. Waarom zou ik daar dan een punt van maken." Nu grijnsde hij even.

Op dat moment kwamen de twee rechercheurs naar de receptie.

Ze richtten hun aandacht meteen op Hannah en Vince.

"U bent terecht," merkte Nelis op.

"Gelukkig wel. Maar niet dankzij deze man."

"Oh jawel. Het spelletje had lang genoeg geduurd en ik werd eigenlijk doodmoe van je," reageerde Vince.

"Jij oplichter!" beet Hannah hem woedend toe. "Alsof het nog niet erg genoeg is dat je over je identiteit hebt gelogen en mij mijn vrijheid hebt ontnomen."

De blikken van de rechercheurs gingen in de richting van de man.

"Ze ging vrijwillig met mij mee en ik heb haar absoluut niet vastgehouden. Integendeel. Ik moest haar bijna de deur uit jagen vanmorgen," verklaarde de man meteen.

"Omdat ik niet wist wie je was. Iemand bij je houden onder valse voorwendsels is vrijheidsberoving." Hannah wendde zich tot de rechercheurs. "Ik wil dat jullie hem oppakken. Ik dien een aanklacht tegen hem in."

"En die luidt?" vroeg Nelis. Zijn wenkbrauwen wiebelden weer een beetje.

Mindy kon er niet helemaal uit opmaken of de man geamuseerd of boos was. Ze zag wel iemand anders naderen, vanuit de gang. Ze herkende hem pas toen hij dichterbij kwam. Het was Eric Verbaan. Blijkbaar was hij toch niet ver uit de buurt geweest, ook al had ze hem niet meer gezien.

Maar Eric liep niet meteen naar zijn vrouw toe. Hij stagneerde toen hij haar felle stem hoorde en bleef bij een van de grijze rechthoekige pilaren staan. Hannah zag hem niet.

"Ik dacht dat ik dat al had gezegd," reageerde Hannah vinnig op de vraag van Nelis.

"Je hebt mijn naam verkeerd verstaan en bood jezelf aan," zei Vince. "Aangezien je een mooie vrouw bent, besloot ik daar verder geen punt van te maken. Een naam is maar een naam." Hij grijnsde.

"Twee dagen. Twee dagen hield je mij vast om al je perverse fantasieën tot werkelijkheid te maken."

"Correctie. Je bleef vrijwillig twee dagen bij me en de meest perverse fantasieën kwamen van jou af. Ik maakte alleen gebruik van de gelegenheid."

"Onder valse voorwendsels. Je was niet de man die ik zocht."

"Nee, dat klopt. Maar ik heb inmiddels begrepen dat de man die je zocht niet voor je diensten heeft betaald en dus verder geen rechten had?"

De ogen van Hannah schoten vuur. "Wie denk je dat je voor je hebt?" Ze wendde zich weer tot de rechercheurs. "Sluit dit stuk ongeluk op. NU!"

"Misschien vergiste die man zich niet eens zo erg in je." Eric kwam nu toch naar voren.

Hannah schrok zichtbaar toen ze hem zag. "Eric, wat doe jij hier?"

"Ik probeerde je steeds te bereiken en toen dat niet lukte, kwam ik hierheen. Ik heb je verdwijning aan de politie doorgegeven, omdat ik ervan overtuigd was dat er iets was gebeurd. Ik had het mis."

"Nee, je had het niet mis. Deze viezerik heeft mij twee dagen lang vastgehouden."

"Voor zover ik inmiddels begrijp ben je vrijwillig met hem meegegaan, omdat je dacht dat hij Fynn Virtanen was. Is die promotie zo belangrijk voor je?" Het klonk sarcastisch.

Mindy zag dat er inmiddels meer mensen bij hen kwamen staan. Ze herkende een aantal deelnemers van het seminar, Lou Verhaagh en Fynn Virtanen zelf.

Lou zei af en toe iets tegen Fynn. Wellicht vertelde hij wat er gebeurde. Het gezicht van Fynn had een wat grimmige uitdrukking.

Mindy vroeg zich af of dat was omdat hij door Lou begreep wat er precies aan de hand was, of omdat hij het gedrag van Vince of van Hannah verfoeide of omdat hij geïrriteerd raakte door de mogelijke negatieve aandacht die zijn organisatie nu kreeg.

Ron voegde zich ook bij de groep toeschouwers. Mindy wist niet of hij haar zag en ze nam niet de moeite om zijn aandacht te trekken.

"Je begrijpt het niet," zei Hannah tegen Eric.

"Ik ben bang dat ik het heel goed begrijp," zei Eric. "Deze man meldde zich aan de balie en jij verstond zijn naam niet goed. Je dacht dat het om Fynn ging en besloot impulsief om hem voor je te winnen, opdat je die verdraaide promotie kon afdwingen. De man begreep waarschijnlijk best dat je hem verwarde met iemand anders, maar besloot de geboden gelegenheid aan te grijpen en maakte je niet wijzer dan je was. Misschien heeft hij je zelfs aangemoedigd om alles uit de kast te halen om hem te gerieven."

"En of hij dat heeft gedaan. Hij wist verdraaid goed dat ik hem voor iemand anders aan zag. Maar hij heeft niets gedaan om daar verandering in te brengen. Integendeel. De smeerlap."

"En wat maakt dat jou?" vroeg Eric. Hij ging dichter bij Hannah staan en keek haar aan.

"Je begrijpt het niet," zei Hannah, nu wat zwakker.

"Nee. Je hebt gelijk. Ik begrijp het niet. En ik hoef het ook niet te begrijpen. Het is afgelopen tussen ons. Ik stuur je de aanvraag voor een echtscheiding wel toe. Je bent thuis niet meer welkom. Ik hoop dat je je nog herinnert dat het huis op mijn naam staat?" Hij draaide zich om en liep weg.

"Eric!"

"Laat mij met rust," riep hij, zonder zich om te draaien. "Je hebt me voor schut gezet en ik heb mezelf belachelijk gemaakt. Het is afgelopen."

"Ik wil mijn kamer in," zei Hannah tegen de receptioniste. Ze leek nu pas de mensen om haar heen op te merken. "Wat staan jullie te staren? Die smeerlap hier heeft mij onder valse voorwendsels naar zijn kamer gelokt en nu staren jullie naar mij?" Haar blik bleef even steken bij Fynn.

Lou zag het en haalde diep adem. "Hannah, dit is Fynn Virtanen."

Hannah probeerde zonder enig resultaat haar haren enigszins te schikken en liep naar Fynn toe om hem een hand te geven.

Fynn beantwoordde de handdruk echter niet. Hij keek haar recht aan. "Dit is niet de manier waarop de zaken binnen onze organisatie worden geregeld. Mensen komen hogerop omdat ze daar de kwalificaties voor hebben; omdat ze een toevoeging zijn voor de organisatie. Alleen om die reden."

"Ik begrijp het, maar…"

"En voor uw informatie… ik ben gelukkig getrouwd en heb drie kinderen. Ik heb geen enkele intentie om mij met vrouwen als u in te laten." Fynn draaide zich om en liep weg, gevolgd door Lou.

Hannah keek hem ontdaan na.

Daarna draaide ze zich weer om naar Vince. "Het is allemaal jouw schuld. Je zult betalen voor de schade die je hebt veroorzaakt." Ze richtte zich weer tot de rechercheurs. "Ik dien een aanklacht tegen hem in. Waarom hebben jullie hem nog niet in de boeien geslagen?"

"Is het geen moment in u opgekomen dat de heer Vince van Dalen een Nederlander is, terwijl de man achter uw organisatie een Fin is?" vroeg Nelis.

"Hij zei dat hij Nederlander was, ondanks zijn naam."

"Vince is geen echte Nederlandse naam," vond Vince. Hij wist dat Hannah steeds in de veronderstelling was geweest dat hij Fynn heette, maar vond het niet nodig om dat openlijk te verklaren. Hij haalde even zijn schouders op, terwijl hij naar de rechercheur keek.

"Maar u vermoedde wel dat u niet de man was die ze zocht. Of die ze dacht te verleiden," zei Nelis.

Vince grijnsde even. "Ik maakte gebruik van de gelegenheid. Volgens mij is dat niet strafbaar."

"Ik wil graag met u praten."

"Opsluiten," snauwde Hannah.

"En met u," zei Nelis.

Hannah gromde iets onverstaanbaars.

"Maar misschien wilt u zich eerst opfrissen. En schoenen aandoen. Als u er eentje bent verloren… die hebben wij in het bos gevonden." De rechercheur keek vragend naar Vince.

"Ze klampte mij aan toen ik mij bij de receptie had gemeld en sleurde mij bijna mee naar buiten, de tuin in. Ze wilde me spreken op een plek waar anderen haar niet konden zien. Een nogal overdreven maatregel, leek mij, aangezien het al bijna halfvier was en er geen mens te bekennen viel, maar ze beweerde dat er nog iemand rondliep die ze kende en wilde in geen geval door hem worden gezien. Dat was dus de reden waarom ze me meenam de tuin in, de bosjes in, en haar werk als volleerd verleidster deed. Ze bleef met haar hak in de modder steken en aangezien de schoen daarbij kapotging, hielp ik haar op een schoen naar binnen. Van daaruit gingen we naar mijn kamer. De rest laat zich raden." Hij grijnsde toch weer.

Nelis keek hem wat bedenkelijk aan, maar Arwin ging er toch op in. "Erg netjes van u is dat niet," vond hij.

Vince keek hem enigszins uitdagend aan. "Ik heb nergens over gelogen. Ik heb alleen niet alles verteld."

"We willen in ieder geval nog even met u spreken," liet Nelis hem weten. "Dus als u even met ons mee wilt komen?" Zijn wenkbrauwen wiebelden alweer, toen hij om zich heen keek, naar het kleine publiek, dat zich had gevormd. "Ik vrees dat het toneelstuk is afgelopen."

Hannah graaide het kaartje van haar hotelkamer uit de hand van de receptioniste, die dat net aanreikte en beende woedend weg.

"Typisch iets voor Hannah," hoorde Mindy achter zich zeggen. Ze draaide zich om en keek recht in het gezicht van Armando.

"Je noemde haar impulsiviteit al."

"Noemde ik ook haar gebrek aan waarden en normen?"

"Niet letterlijk."

"Hm."

"En je had haar dus niet verstopt."

"Geloofde je dat?" Hij keek haar onderzoekend, een beetje uitdagend, aan.

"Natuurlijk niet."

Armando grijnsde. Hij geloofde het niet volledig.

Mindy werd op de schouder getikt en keek om. Ron stond achter haar. De scherpe blik die hij de schilder toewierp, ontging haar niet.

"Gaat het weer wat beter met je?"

"Ja, natuurlijk." Mindy kon niet helpen dat ze verwonderd klonk.

"Je was weer opeens verdwenen en ik dacht dat je hoofdpijn had of iets dergelijks. Je zag er niet zo goed uit tijdens die workshop. Nogal afwezig."

"Ah ja. Ik vrees dat ik me de verdwijning van Hannah meer aantrok dan nu nodig blijkt."

"Nou ja, misschien niet onbegrijpelijk, gezien het feit dat je ook een vrouw bent en alles erop wees dat er iets met Hannah was gebeurd. Hoewel ik daar vanaf het eerste moment aan heb getwijfeld. Maar ik kende haar. Jij niet."

"Armando dacht er hetzelfde over als jij."

Ron wierp Armando een nieuwe blik toe, maar zonder de verstandhouding die Mindy zo'n beetje had verwacht. "Het doet er niet toe. Hannah Verbaan is weer terecht. Misschien wil je je opfrissen voor het diner van vanavond?"

"Eh… ja. Misschien wel." Ze nam met een klein knikje afscheid van Armando en liep met Ron via de Breviergang in de binnentuin naar de andere kant van het hotel, waar ook de trap en de lift naar boven waren.

Bij de deur van Mindy's kamer bleef ook Ron even staan. "Opgelucht?" vroeg hij.

Mindy knikte.

"Goed. Vanavond is er nog een lezing. Misschien wil je die bijwonen?"

"Ja. Het is al erg genoeg dat ik een belangrijk deel van de workshops heb gemist."

"Dat is jammer, maar begrijpelijk. Vanavond worden die workshops nog een keer besproken en zal er ingegaan worden op de belangrijke punten van dit seminar. Wellicht heb je daar dan nog iets aan."

"Maar of het voldoende is?"

"Misschien niet. Maar we kunnen kijken voor bijscholing. Het zal niet meevallen naast het werk, maar een baan als manager vergt nogal wat kennis en het is hoe dan ook geen slecht idee om toch een opleiding in die richting te doen."

"Nee, misschien niet." Mindy opende haar deur en ging haar kamer binnen. Ze wist dat Ron nog even bij haar deur bleef staan, maar nodigde hem niet uit om mee naar binnen te komen. Ze wilde gewoon even alleen zijn.

Ze liep naar de badkamer en keek naar haar eigen spiegelbeeld. De make-up was alweer een beetje vervaagd en de mascara iets doorgelopen. Ze deed een flinke hoeveelheid cleansing milk op een doekje en wiste alle make-up weg, waardoor haar eigen rossige huidskleur weer tevoorschijn kwam.

Ze keek naar de jonge vrouw in de spiegel. Ze keek naar de ronde boerenwangen en naar de licht zichtbare kringen onder de ogen. Zonder die kringen had ze er misschien best fris uitgezien. Nu leek ze meer een vermoeide boerin.

Ze zag Ron weer voor zich en besefte dat er werkelijk liefde in zijn blik lag als hij naar haar keek. Ze dacht aan zijn warme aanraking en huiverde even.

Onwillekeurig dacht ze ook aan die maffe Armando.

Ze wist niet precies waarom.

Misschien mocht ze hem gewoon. Maar zelfs dat wist ze niet zeker. Hij had net iets te laatdunkend gedaan over haar manier van leven en haar werk. Alsof het totaal niet belangrijk was. Of erger. Alsof ze er gewoon het type niet voor was.

Zag ze er werkelijk zo dom uit?

Ze keek opnieuw in de spiegel. Ze had niet dezelfde opleiding als haar ouders en zussen genoten en ze had zoveel meer energie moeten steken om hoger op de ladder te komen. Maar het was haar gelukt. Ze had bewezen dat ze het kon. Waarom zag

Armando dat dan niet?

Deed het er eigenlijk wel toe wat hij zag?

Mindy schudde haar hoofd. Natuurlijk deed het er niet toe.

Ze pakte haar make-up en bracht een nieuwe laag aan op haar fris gewassen gezicht. Ze dankte het feit dat iemand ooit camouflagestiften had uitgevonden en maakte er dankbaar gebruik van, voordat ze de foundation aanbracht.

Ze schikte de bloes die haar volgens zoveel mensen goed stond en controleerde haar broek op vlekken. Met een doekje maakte ze haar pumps schoon. De pumps waren echte middenmoters.

Net als zij.

Ze zuchtte en keek opnieuw in de spiegel.

"Onzin," zei ze tegen zichzelf. "Je hebt jezelf boven de middenmoot uitgewerkt. Je gaat die opleiding management naast je werk doen en je laat zien waar je voor staat. En die bruiloft komt er ook. Inclusief witte jurk en marsepeinroosjes." Ze dwong zichzelf tot een grijns, keerde zich van de spiegel af en liep de hotelkamer uit.

Ze was een van de eersten die het restaurant binnenliep en nam met graagte het aanbod van een aperitiefje aan. Deze keer dwong ze zichzelf om met de andere mensen te praten. Het verbaasde haar dat de andere deelnemers haar niet als een nutteloos aanhangsel schenen te zien, maar gewoon haar participatie in de gesprekken accepteerden. Ze was dus toch een van hen. Al voelde het nog niet helemaal zo.

Toen Ron het restaurant binnenkwam, zag ze zijn glimlach

toen hij zag hoe goed ze integreerde. Ze herkende de waardering erin en glimlachte terug. Ron had nooit aan haar getwijfeld. En ze zou laten zien dat hij zich daarin niet had vergist.

HOOFDSTUK 13

De lezing vond plaats in de dr. Hub J. van Doorne-zaal en werd geleid door Fynn en Lou.

Hannah Verbaan was ook aanwezig. Ze had niet met de rest van de deelnemers gegeten, maar was de zaal binnengewandeld, vlak voordat de lezing van start ging. Natuurlijk zag ze er weer oogverblindend uit.

Mindy had geen idee hoe ze het klaarspeelde na de afgelopen twee dagen en de scène bij de receptie van het hotel, maar het was een feit dat de mannen zich toch naar haar omdraaiden en aan de blik in hun ogen was duidelijk te zien dat ze meer zagen dan een vrouw die zichzelf toch eigenlijk enigszins voor schut had gezet. Ze was meteen na haar zelfverzekerde binnenkomst aan de andere kant naast Ron gaan zitten, waarbij ze Mindy een hautaine blik had toegeworpen. En daar zat ze nu uiteraard nog steeds, terwijl ze Ron af en toe iets in het oor fluisterde.

Mindy had geen idee wat de twee tegen elkaar zeiden, maar ze kon het niet helpen dat het haar nogal irriteerde. En alleen al daardoor had ze moeite met het volgen van de lezing. Iets wat ze zichzelf nogal kwalijk nam.

De pauze was een welkome afwisseling. Mindy vond het benauwd in de zaal en ze had het gevoel dat alle woorden die er werden gezegd in haar hoofd werden opgestapeld, terwijl daar eigenlijk helemaal geen plaats meer voor was. Ze was er gewoon een beetje duizelig van, toen ze met de grote groep via de serre naar de Wim van Deursen-zaal liep, om daar een drankje te gebruiken.

Dat Hannah hen op de voet volgde, was minder prettig. Mindy overwoog alleen al om die reden geen gebruik te maken van het toilet. Ze had het gevoel dat ze stelling moest houden, hoe idioot het zelfs in haar eigen oren ook klonk.

Bij het sta-tafeltje, waar ze hun drankje gebruikten, eiste Hannah de aandacht voor zichzelf op. Dit keer geen vinnige opmerkingen naar Ron toe, noch de mededeling dat zij het recht had op de functie van Lou. Ze kende heel erg goed haar grenzen. Ze praatte alleen over de lezing.

Hoewel Ron zich beleefd afzijdig hield, wist ze hem uiteindelijk toch in een discussie te betrekken over management en merkte Mindy dat zijn afstandelijkheid naar Hannah toe een klein beetje afnam. Natuurlijk begreep ze dat zijn houding puur zakelijk was, maar het sneed haar toch dat hij met Hannah praatte, die haar af en toe een koele, triomfantelijke blik toewierp.

Mindy was geen partij voor haar en dat wisten ze allebei.

Toch probeerde Mindy de schijn op te houden door interesse te veinzen. Maar als ze eerlijk was, moest ze toegeven dat ze de discussie maar half kon volgen. Er waren te veel uitdrukkingen en woorden, waarvan ze de betekenis niet kende. Ze begreep meteen waarom Ron die opleiding had genoemd.

Een opleiding die ze razend interessant zou moeten vinden. Een opleiding waarvan ze zichzelf ook wijsmaakte dat het haar boeide. Zelfs als ze nu haar hoofd niet eens bij dit ene gesprek kon houden.

Toen Mindy toch maar naar het toilet ging, hield ze zichzelf voor dat ze nu eenmaal onmogelijk de hele avond haar plas kon ophouden vanwege vermeende concurrentie. Hoe kon ze nu in hemelsnaam aan een relatie denken, als ze Ron niet eens in een volle zaal met een vrouw alleen durfde te laten?

Ze maakte waardig duidelijk dat ze naar het toilet moest en zag nog net de kleine glimlach van Hannah, toen ze daadwerkelijk vertrok. Het was een van de momenten waarop ze wilde dat Hannah werkelijk was verdwenen. Een wens die ze zichzelf kwalijk nam.

In ieder geval totdat ze Hannah in de gang ontmoette, toen ze van het toilet af kwam. Ze wilde met een knikje naar de vrouw doorlopen, toen deze haar tegenhield. "Mindy Mees, was het toch?"

Mindy knikte.

"Ik ben niet zo goed in namen. Maar het was een grappige naam."

Mindy besefte dat ze hier een opmerking kon maken die betrekking had op de blunder die Hannah eerder had begaan, toen ze Vince voor Fynn had aangezien.

Maar ze deed het niet. In haar hoofd was ze altijd gevat, maar in werkelijkheid kwam er maar weinig pittigs over haar lippen. Ook nu niet.

"Je bent toch de assistente van Ron, nietwaar?"

Mindy knikte opnieuw.

"Je zult wel tegen hem opkijken. Ik bedoel… het is een leuke man om te zien. Intelligent. Charmant."

"Ik kan goed met hem overweg," zei Mindy. Ze wilde ietwat verwaand klinken, maar haar stem trilde van spanning.

Hannah glimlachte. "Oh dat begrijp ik, schat. En hij kan ongetwijfeld goed met jou overweg. Zo is hij wel."

"Wat bedoel je daarmee?" ontschoot Mindy.

"Ik denk dat je wel weet wat ik bedoel. Hij is charmant, nietwaar?"

"Ik heb geen idee wat je bedoelt."

"En het is heel logisch dat je voor die charmes valt. Je wilt niet weten hoeveel vrouwen daarvoor zwichten. Heel normaal."

Mindy klemde haar kaken op elkaar.

"Maar je begrijpt natuurlijk wel dat Ron iemand nodig heeft die op hetzelfde niveau zit."

"Wie zegt dat ik niet op zijn niveau zit?"

Hannah grinnikte even. "Lieve schat. Assistente is niet hetzelfde als manager. Dat weet jij en dat weet ik. Ongeacht hoe hard je je best doet om erbij te horen. We weten allebei wel beter."

Mindy zocht koortsachtig naar een slimme, gevatte reactie, die ze niet vond. Ze draaide zich op haar hakken om en liep haastig weg. Ze hoorde Hannah grinnikend op haar hoge hakken naar het toilet lopen.

Oh, wat haatte ze die vrouw!

Precies op dat moment hoorde ze achter zich iets over de grond rollen, alsof er een zak kiezels werd uitgestrooid, meteen gevolgd door een gil en een klap.

Mindy keek geschrokken om en zag Hannah op zeer onelegante wijze op de grond liggen. Om haar heen rolden kleurige knikkers alle kanten uit.

"Welke idioot heeft hier die knikkers neergegooid?" foeterde Hannah. Ze probeerde overeind te komen en gleed opnieuw uit over de knikkers. "Oh, ik haat kinderen!"

Mindy hoorde verderop jongens giechelen. Ze keek richting receptie en zag net twee ondeugende kopjes om de hoek van de balie kijken. Ze herkende vrijwel meteen August en Philippe. De kopjes verdwenen weer en ze hoorde de wegrennende voetstappen.

Hannah probeerde nog steeds foeterend overeind te komen en onwillekeurig moest Mindy lachen. En dat deed ze nog steeds toen ze weer de zaal binnenliep.

"Iets grappigs gezien?" vroeg Ron toen ze zich bij hem voegde.

"Heb je nog een drankje voor mij?" ontweek Mindy de vraag.

"Wijntje?"

"Waarom ook niet?"

Ron regelde een wijntje voor haar en keek haar onderzoekend aan. "Ik heb het idee dat je het vervelend vond dat Hannah bij ons stond."

"Ik mag haar niet bijzonder," gaf Mindy toe.

"Dat begrijp ik. Ik denk dat veel mensen haar niet zo mogen."

"Je zei dat jij haar ook niet mocht."

"Dat doe ik ook niet. Maar dat betekent niet dat ik geen gesprek met haar zal voeren. In mijn functie krijg je meer te maken met mensen die je niet mag, maar met wie je wel moet samenwerken. Datzelfde geldt straks ook voor jou."

"Ik weet niet of ik dat kan."

"Natuurlijk kun je dat. Je hebt ambitie en je gaat ervoor. Dat betekent dat je je ook dit soort vaardigheden kunt aanleren."

"Misschien." Mindy speelde met haar glas. "Hannah is een knappe vrouw, nietwaar?"

"Ik kan niet ontkennen dat ze er goed uitziet."

"Als ze weer iets met jou zou willen beginnen…"

"Dan maakt ze geen schijn van kans. Ik weet wat er onder dat mooie uiterlijk van haar schuilt."

"Maar ze is zoals jij."

"Ik hoop toch van niet."

"Ik bedoel in zakelijk opzicht."

"Ze heeft veel kennis in huis. Maar op den duur is dat niet voldoende."

"Hm."

"Mindy, jij hebt in huis wat nodig is. Je bent bereid hard te werken, hebt ambitie, wilt doorstromen en je bent daarnaast gewoon een prettig persoon."

"Ik heb niet de opleiding die ik nodig heb en ik ben te verlegen om goed met mensen om te gaan. Al helemaal als ik met mensen als Hannah Verbaan te maken krijg."

"Dat kun je leren. Je kunt alles leren."

Mindy knikte en nam een slokje wijn. Ze keek om zich heen, naar de managers die druk met elkaar in gesprek waren. Ongetwijfeld hadden de meeste gesprekken betrekking op het seminar, waarvan ze een belangrijk deel had gemist. Ze dacht ook aan het eerste deel van de lezing die ze zojuist had gevolgd en ze dacht aan de lange dagen die voor haar lagen: het overwerk en de studie die ze moest doen en aan de eisen die straks aan haar werden gesteld.

Ze kreeg het opeens verschrikkelijk benauwd.

"Ik moet even naar buiten," zei ze.

"Is er iets aan de hand?"

"Niets bijzonders. Laat mij maar even."

Zonder een reactie af te wachten, haastte Mindy zich naar buiten. Ze botste daarbij bijna tegen Hannah op, die zich uiteindelijk blijkbaar toch overeind had weten te hijsen. Ze lachte nu in ieder geval niet, maar gunde Mindy nauwelijks een blik waardig en liep haastig de zaal binnen.

Eenmaal in de brede gang tussen receptie en bar, haalde Mindy opgelucht adem. Het was bijna alsof ze eindelijk weer wat lucht kon krijgen.

Meteen daarna vroeg ze zich af wat ze nu wilde doen.

Ze bleef een paar tellen besluiteloos staan, keek door het glas de zaal nog een keer in en liep toen weg.

Ze wist wie ze zocht toen ze via de binnentuin naar de tuin van het hotel liep. Ze wist alleen niet waarom ze uitgerekend hier zocht. Ze had broeder Dominicus iedere keer gewoon in het hotel getroffen, midden in de nacht nota bene, behalve die ochtend. Toen had hij op het bankje bij de vijver gezeten. En daar zat hij ook nu. Bijna alsof hij op haar wachtte.

Mindy liep haastig zijn kant uit, maar voelde hoe haar onzekerheid het overnam toen ze hem naderde. Ze wist niet eens waarom ze uitgerekend de broeder wilde spreken en ze wist niet eens zeker of hij wel een broeder was. De rechercheur had ten-slotte beweerd dat niemand broeder Dominicus kende. Noch dat iemand de jongens kende.

Maar de jongens had ze gezien. Daarnet nog.

Als zij er echt waren, was de broeder dat ook, besloot ze.

Ze haalde diep adem en legde de laatste meters af totdat ze bij het bankje stond.

De broeder keek niet om. "Mindy," zei hij alleen maar.

"Mag ik naast u komen zitten?"

"Natuurlijk."

Mindy nam wat aarzelend plaats naast de broeder. "Ik weet ei-genlijk niet goed wat ik moet zeggen," zei ze.

"U hoeft niets te zeggen, als u dat niet wilt. We kunnen gewoon hier zitten en naar de vijver kijken."

Mindy knikte, maar schoof wat ongemakkelijk over het bankje heen en weer. In haar hoofd spookten duizenden flarden aan verwarde gedachten rond, maar ze kreeg nergens grip op.

"Haal rustig adem. Concentreert u zich op de vijver," zei de broeder, zonder haar aan te kijken. "Ziet u hoe glad het water-oppervlak is?"

Mindy knikte. De zon kwam aarzelend door en er stond geen wind. Het oppervlak van de vijver vormde een grote, donkere spiegel, waarin ze zichzelf kon verliezen.

"Alleen het water dat volledig tot rust komt, weerspiegelt de wereld eromheen precies zoals hij is," zei de broeder.

Mindy keek hem van opzij aan.

"Probeer diezelfde rust in uw hoofd te creëren. Dan ziet u de

220

zaken zoals ze zijn."

"Ik weet niet wat u bedoelt," bracht Mindy ertegen in.

De broeder glimlachte. "Oh jawel," zei hij. "Alles wat u moet doen, is diep ademhalen en tot rust komen, zoals ook het water in de vijver tot rust is gekomen." Hij stond op. "Ik moet nog twee snaken vangen," zei hij.

"Ik dacht dat u hen al had gevonden?"

"Oh ja. Ik weet precies waar ze zijn."

Mindy dacht aan het incident met de knikkers, maar noemde het niet hardop. Ze had het gevoel dat de broeder ervan af wist. Toen hij wilde weglopen, riep ze zijn naam.

"De rechercheur zei dat in het missiehuis geen broeder Dominicus woonde."

"Oh hemel nee. Ik woon daar ook niet," zei hij. Hij grinnikte even en liep weg.

Mindy keek hem een paar tellen na en richtte haar blik toen weer op de vijver. Ze probeerde zich op het wateroppervlak te concentreren, maar juist toen ze merkte dat ze een beetje rustiger werd, dommelde ze zachtjes in.

HOOFDSTUK 14

Mindy schrok wakker. Ze had geen idee hoelang ze daar bij die vijver had geslapen, maar haar nek en rug deden pijn door de ongemakkelijke houding.

Ze keek nog een keer naar de vijver, waarvan de oppervlakte nog steeds geen rimpel liet zien, strekte zich uit en stond op. Ze voelde zich opvallend helder in haar hoofd. Alsof de vele puzzelstukjes nu pas op de plaats vielen.

Maar er waren een aantal dingen die ze moest doen.

Ze liep het hotel weer binnen en ging regelrecht naar de Wim van Deursen-zaal, waar de deelnemers een laatste gezamenlijke borrel namen. Zoals ze al had verwacht was de lezing definitief afgelopen.

Ron stond aan een tafeltje met twee andere mannen en natuurlijk Hannah, maar zag Mindy meteen toen ze de zaal binnenliep. Alsof hij op haar had staan wachten.

"Mindy, ik was ongerust," zei hij meteen. "Misschien had ik naar je toe moeten komen, maar je gaf aan dat je liever even alleen was..." Het klonk verontschuldigend en zijn bezorgdheid was oprecht.

Ron was beslist een leuke man, vond Mindy. Ongeacht wat Hannah zei. Maar ze wist ook dat het niet genoeg was. Ze keek hem recht aan. "Ik kan hier niet mee doorgaan, Ron."

Rons verbazing kwam vanuit zijn hart. "Wat bedoel je?"

"Met dit hele circus." Ze glimlachte verontschuldigend.

"Ik ben bang dat ik je niet begrijp."

"Ik hoor hier niet."

"Hoe kun je dat nu zeggen? Na al het werk dat je hebt verzet en na alles wat je hebt bereikt... Je weet wel beter dan dat. Je hoort hier meer thuis dan iemand als Hannah."

"Heel lief gezegd, maar niet waar. De helft van de tijd heb ik geen idee waar jullie over praten."

"Werkelijk niet? Ik dacht..."

"Echt niet. Geen idee. Jullie kunnen net zo goed Chinees tegen me praten."

"Goed. Misschien gebruiken we onbewust veel beroepstermen en misschien ben je daar onvoldoende in thuis. Daarom is die opleiding zo belangrijk voor je. Het werk zelf ken je wel, maar het zijn net de puntjes op de i, die toegevoegd kunnen worden. Niet alleen omdat het dan gemakkelijker is om aan de gesprekken deel te nemen, maar ook omdat het je meer zelfvertrouwen geeft. Want soms geloof ik dat het je daar nog een beetje aan ontbreekt. En dat is overigens niet terecht."

"Eh, tja... die opleiding..."

"Ik weet dat je al lange dagen maakt en dat zo'n opleiding dan een hele belasting is. Maar we kunnen kijken of we de tijden enigszins kunnen aanpassen."

"Eh, tja..."

"Ik wil niets liever dan je helpen. En daar heb ik meer dan één reden voor." Zijn hand raakte zacht de hare.

"Ron, ik kan het niet."

"Wat kun je niet? De opleiding? Of ons?"

"Allebei niet."

"Mindy, ik weet dat er de afgelopen dagen veel is gebeurd en ik wil je niet onder druk zetten…"

"Het werk, de opleiding, een relatie… ik kan het allemaal niet."

"Mindy, je weet wel beter. Je hebt je werk altijd graag gedaan en je hebt ambitie. Dat is een van de dingen die ik zo in je waardeer. Dat is ook de reden waarom we bij elkaar horen. Je begrijpt wie ik ben. En ik begrijp wie jij bent."

"Ik ben bang dat je het niet begrijpt," zei Mindy. "Ik ben niet de persoon die je denkt dat ik ben, al heb ik mezelf veel moeite getroost om je dat te doen geloven. Maar ik ben niet ambitieus. Dat probeerde ik alleen mijzelf en anderen wijs te maken." Ze schudde haar hoofd. "Ik had het zo verdraaid druk met mezelf te bewijzen tegenover iedereen, dat ik helemaal niet zag welke prijs ik daarvoor betaalde. Ik haatte het overwerk, maar ik deed het omdat het van mij werd verwacht. Omdat het zo hoorde. Het overnemen van je functie maakte mij doodsbang, maar ik negeerde dat. Omdat het een eer was en omdat jij zei dat ik het kon. Omdat het van mij werd verwacht. Omdat ik wilde laten zien dat ik niet voor mijn ouders en zussen onderdeed. En hier op het seminar… het was niet alleen de verdwijning van Hannah, die het onmogelijk maakte om alles te volgen. Het probleem lag vooral bij mijzelf. Die gesprekken over management, leidinggeven, bedrijfseconomie… bleeeh." Ze lachte wat verontschuldigend.

Ron schudde ongelovig zijn hoofd. "Ik had geen idee…"

"Natuurlijk niet. Ik getrooste mezelf nogal wat moeite om dat te voorkomen."

"Maar hoe zit dat dan met ons? Ik mag je, Mindy. Nee, dat is niet waar. Ik ben verliefd op je."

Maar Mindy schudde haar hoofd. "Je bent verliefd op de vrouw die je denkt dat ik ben. Dat is een ander persoontje dan de ware Mindy. Geloof me."

"Zoveel verschil kan dat niet uitmaken," beweerde Ron. Maar hij leek vooral zichzelf te willen overtuigen.

"Een wereld van verschil, Ron," zei Mindy. "Een wereld van verschil."

"Mindy..."

"Het spijt me, Ron. Je bent een leuke man. Echt waar. Maar ik ben niet de persoon die je nodig hebt. Noch voor de baan, noch voor jezelf."

"Je wéét het niet."

"Jawel, Ron. Dat weet ik wel. Nu wel."

"En nu?"

"Ik zeg mijn baan op. Ik heb nog heel veel vakantiedagen en overuren staan, zodat ik de verplichte uitwerkperiode vrij kan nemen. Ik kom niet meer terug."

"Geef mij nog een kans. Geef óns nog een kans."

"Het zou niet werken, Ron. Het spijt me." Mindy draaide zich om en liep weg.

Ze had verwacht dat ze zich ellendig zou voelen na een dergelijke mededeling; schuldig, ellendig en stom. Maar eigenlijk voelde ze zich op vreemde wijze opgelucht. Alsof er een zware last van haar schouders was gevallen.

Ze liep naar haar eigen hotelkamer en waste de make-up zorgvuldig van haar gezicht. Ze keek naar haar rossige spiegelbeeld. "Welkom terug," mompelde ze.

Ze trok haar roze pyjama aan en ging op bed zitten om nog een beetje televisie te kijken.

Maar rond middernacht stond ze op, aarzelde nog even en liep toen over de gang naar de kamer van Armando. Ze lachte toen ze hem hoorde zingen achter de gesloten deur en klopte – toch nerveus – aan.

Het duurde slechts een paar tellen voordat de deur openging en Armando in zijn hansop verscheen. Hij droeg dit keer trouwens weer zijn bolhoed. "Mindy?"

"Drinken we samen een likeurtje?" vroeg ze. "Ik ben daar nu aan gewend."

"In de gang of op mijn kamer?"

"In de gang natuurlijk. Ik ga niet zomaar de kamer van een vreemde man binnen."

"Ah nee. Natuurlijk niet." Armando grijnsde, pakte de kussens, de fles en de glaasjes en duwde haar een kussen en een glas in handen, voordat hij zelf alvast neerplofte.

Mindy ging naast hem zitten en hij schonk voor beiden de glazen vol.

"Waar is je verloofde?"

"Hoor ik daar een beetje spot in je stem?"

"Een beetje."

"Waarom?"

"Jaloers."

"Waarom dat?" Ze keek hem aan.

"Ik vind je leuk."

"Ah."

"Is dat alles wat je te zeggen hebt?"

"Tja… Ron vindt mij ook leuk."

"Ron past niet bij je."

"Waarom niet? Hij is knap, charmant, begripvol, succesvol…"

"Ho, ho maar. Zo kan-ie wel weer." Hij nam een flinke teug likeur en richtte zijn aandacht weer op Mindy. "Goed. Misschien is hij dat allemaal wel – wat ik ernstig betwijfel – maar hij is toch anders dan jij. Hij is niet anders dan de Mindy die je probeert te zijn, maar wel anders dan de Mindy die je werkelijk bent."

"En welke Mindy ben ik in werkelijkheid dan?"

"De Mindy zonder make-up met rossige wangen en een zuurstokpyjama, die hier in de gang een likeurtje met een slonzige schilder drinkt en graag een diorama wil maken van elfjes en trollen."

Mindy glimlachte.

"Ik denk dat je dat zelf ook wel weet," zei Armando.

"Ik probeerde het te ontkennen. Je wilt niet weten hoe hard ik heb gewerkt om dat te ontkennen."

"Waarom wilde je het ontkennen? Wat is er mis met een sprookjesminnende Mindy in een zuurstokpyjama?"

"Heel wat, in de ogen van mijn ouders – mijn moeder in het bijzonder – en mijn zussen. En misschien nog meer in mijn eigen ogen."

"Waarom?"

"Omdat alles om zakelijkheid en succes draait. Dat heb ik van jongs af aan meegekregen."

"Omdat je óúders vinden dat alles om succes draait," verbeterde Armando haar. "Ik geloof niet dat kinderen met die gedachte worden geboren."

"Nee. Dat worden ze niet. Maar mijn zussen groeiden mee in die gedachte, helemaal vanzelf. Ze waren populair op school, haalden geweldige punten en hadden op ieder vlak het begeerde succes. Ik bleef altijd net onder de middelmaat."

"Werd je daarop aangesproken?"

"Niet rechtstreeks. Maar ik had het gevoel dat ze mij toch een beetje dom vonden. Misschien was dat ook zo en misschien haalde ik mij dat alleen maar in mijn hoofd."

"Dus moest je bewijzen dat het niet zo was."

"Zoiets."

"Wat leverde het uiteindelijk op?"

"Een carrière. En bijna een succesvolle man en een baan als manager."

"Bijna?"

"Ik heb bedankt."

"Voor de baan als manager?"

"Voor allebei."

"Hm." Armando nam nog maar eens een slok.

Mindy volgde zijn voorbeeld. "En nu weet ik niet hoe ik verder moet," zei ze.

"Hoe wíl je verder?"

"Geen idee. Ik heb mijn baan opgezegd en heb nu dus ongeveer twee maanden de tijd om iets nieuws te vinden. Zonder specifieke opleiding of talent."

"Wat vind je leuk om te doen?"

"Een diorama maken. Maar daarmee verdien ik geen geld."

"Diorama als kunstvorm?"

"Daar ben ik niet goed genoeg voor. Weet je…" Ze aarzelde.

Armando keek haar onderzoekend aan.

Mindy glimlachte. "Ik heb ooit gefantaseerd over een pension of hotelletje ergens in Drente of zo, met themakamers in de vorm van sprookjes of iets dergelijks."

"Dus toch een soort diorama?"

Mindy lachte. "Nou ja, als je het zo bekijkt… Maar het is niet meer dan een kinderlijke fantasie."

"Is dat zo?"

"Nou ja, een pension of hotelletje zou misschien nog wel kunnen. Ik ben een zorgzaam type en vind het leuk om het mensen naar de zin te maken. Zolang er maar geen hoogdravend taalgebruik of politieke dan wel zakelijke inzichten worden gevraagd. Maar ik heb geen groot startkapitaal en ik geloof ook niet dat ik over voldoende mogelijkheden beschik om mijn ideeën te verwezenlijken."

"En als je daar hulp bij zou krijgen?"

"Hulp?"

"Van bijvoorbeeld een bekend kunstenaar?"

Mindy keek Armando aan. "Je kent mij nauwelijks."

"Maar dat wil niet zeggen dat ik een goed idee niet herken."

"Denk je dat het een goed idee is?"

"Ik denk van wel."

"En je zou daarin kunnen investeren?"

"Waarom niet?"

"Zonder verplichtingen?"

"Officieel zonder verplichtingen." Hij grijnsde.

Mindy keek hem vragend aan.

Hij boog zich naar haar toe en kuste haar voorzichtig. "Maar dat wil niet zeggen dat ik niet probeer om er meer uit te halen dan alleen een samenwerking," zei hij.

"Hm. Misschien kan ik daarmee leven."

Ze tikten de glaasjes tegen elkaar aan in een proost.

"Mag ik bij je slapen?" vroeg Armando toen.

Mindy grijnsde en schudde haar hoofd. "Bewijs jezelf eerst maar eens," zei ze. Ze dronk haar likeur, stond op, glimlachte nog een keer naar hem en liep naar haar eigen kamer.

Ze voelde nog steeds de warmte van de likeur toen ze tussen de dekens kroop en in een diepe slaap wegzakte.

HOOFDSTUK 15

Mindy werd de volgende dag pas laat wakker. De zon liet zich al van zijn beste kant zien en wierp een zee van licht haar kamer binnen. Ze besefte nu pas dat ze de gordijnen niet had gesloten, maar het maakte niet uit. Het licht was aangenaam.

Ze strekte zich uit en liep naar de badkamer voor een douche. Het was vreemd dat ze niet op een bepaalde tijd voor het ontbijt aanwezig moest zijn en dat niemand op haar wachtte. En morgen lag er geen werkdag in het verschiet; geen werkdag, geen stijve kleding en ongemakkelijke schoenen en geen bergen papier waar nooit een einde aan leek te komen.

Helemaal niets.

Het was prettig en beangstigend tegelijk.

Ze had geen idee of ze werkelijk een pension of hotel kon beginnen, maar het was prettig om zich in ieder geval aan het idee vast te houden. Geen plan hebben voor de toekomst was beangstigend; alsof ze in een diep gat viel.

Ze genoot van de douche, ging daarna even voor de spiegel staan met de make-up in haar handen, maar legde de spullen weer aan de kant toen ze besefte dat het een gewoonte was geworden. Ze hoefde zich niet op te maken. Ze hoefde geen nette kleding aan.

Ze viste haar jeans en Garfield-shirt uit haar koffer, trok het aan en bekeek zichzelf tevreden in de spiegel. Het was bijna alsof ze een oude bekende trof. Toch goed dat ze haar lievelingsklofje had meegenomen. Ze dook nog een keer in haar koffer en vond de gymschoenen, die ze zonder nadenken bij haar jeans en shirt had gegooid. Of zou ze hebben aangevoeld dat er een keerpunt kwam? Onbewust? Het leek ver gezocht, maar het was leuk om dat te denken.

Ze slaakte een gelukzalige zucht, toen ze haar geplaagde voeten in de soepele gympen stak.

Ze aarzelde nog even voordat ze haar kamer verliet. Ze wist dat Ron de laatste ochtend vroeg wilde ontbijten, omdat hij vanaf het begin duidelijk had gemaakt dat hij daarna nog naar kantoor wilde. Ze verwachtte niet dat hij die plannen had gewijzigd. Ze hóópte niet dat hij die plannen had gewijzigd. Ze liep hem liever niet tegen het lijf. Maar een laatste blik op de klok overtuigde haar ervan dat Ron beslist al was vertrokken.

Onterecht.

Ze trof Ron toch nog bij de receptie en zag hoe hij haar vragend bekeek, toen ze tegenover elkaar stonden. Heel even verwachtte ze dat hij kritiek zou uiten, hoewel hij dat nooit eerder had gedaan. Maar hij deed dat ook nu niet. Zijn mond vormde alleen een kleine, wat droevige glimlach.

"En toch had ik het graag geprobeerd," zei hij.

Ze schonk hem een glimlach terug. "Dat weet ik."

"Het ga je goed, Mindy."

"Jou ook. En ik zal duimen voor die promotie. Maar eigenlijk denk ik dat het allang een feit is, dat slechts door formaliteiten bevestigd moet worden."

Hij knikte even. "Als je ooit een keer langs wilt komen…"

"Dan doe ik dat wel."

Maar ze wisten allebei dat dat nooit zou gebeuren.

Mindy liep naar het restaurant, waar nog een handvol managers hun laatste ontbijt in het hotel gebruikten. De managers letten niet op haar en zij niet op hen.

Ze zag Armando in de hoek van de zaal zitten, kleurrijk als altijd. Vandaag droeg hij weer zijn jeans met kleurige lapjes en een shirt met een of ander oranje monster, dat enige gelijkenis toonde met Beast van *The Muppet Show*. Zijn hoge hoed stond naast hem op tafel.

Ze liep meteen naar hem toe. "Mag ik bij je komen zitten?"

Armando bekeek haar van top tot teen. "Ken ik u?" Hij grijnsde.

"Nee. Maar je wilt mij leren kennen."

"Ah, een tikje arrogant?"

"Absoluut."

"Ik hou van arrogante vrouwen."

Mindy ging tegenover hem zitten. "Waarom draag je altijd hoeden?" vroeg ze.

"Omdat ik dat leuk vind."

"Alleen daarom?"

"Is er dan nog een andere reden om een hoed te dragen?"

"Weersomstandigheden, traditie, cultuur…"

"In dat geval traditie. Mijn eigen traditie."

"Ah."

"Eet je niets?" vroeg Armando.

"Ja. Weet ik niet. Ik weet niet eens of ik honger heb."

"Volgens mij is dit je laatste dag in het hotel. Geen gebruikmaken van alle lekkere dingen die ze aanbieden is een zonde."

"Waarschijnlijk wel." Ze keek even naar het buffet en toen weer naar Armando. "Ik weet nog niet zo goed wat ik moet beginnen."

"Je staat op, neemt een bord, kiest wat dingen uit die je lekker vindt en gaat weer aan tafel zitten."

"Dat is niet wat ik bedoel."

"Het is een begin."

"Ik bedoel dat ik niet weet hoe ik verder moet met mijn leven. Ik kom straks thuis in mijn appartement en heb geen werk. Ik weet nog niet wat ik wil doen. Of wat ik kan doen. Helemaal niets."

"Verdergaan betekent een eerste stap zetten. Een bord pakken, lekkers uitzoeken, eten. Eerst goed ontbijten. De rest komt vanzelf."

"Je laat het zo simpel klinken."

"Heb ik dat niet meer gehoord?"

Ze glimlachte. "Ja."

"Misschien is het simpel. 'Zet vol vertrouwen de eerste stap. Je hoeft de hele weg niet te zien. Zet gewoon de eerste stap.' Dat zei Martin Luther King. En hij was een wijs man."

Mindy glimlachte. "En mijn eerste stap is een ontbijt?"

Armando knikte.

"Wel… dan zal ik die eerste stap maar zetten." Ze stond op en koos roereieren, kaas, heerlijk vers brood, marmelade en een croissant, sinaasappelsap en thee als ontbijt en ging weer tegenover Armando zitten.

Armando had duidelijk al gegeten, dronk alleen zijn koffie, terwijl hij ontspannen achteroverleunde.

Mindy keek een keer naar haar volle bord en toen weer naar Armando. "Je zult wel denken…"

"Dat je verstandig bent. Je moet genieten van de fijne, en in dit geval lekkere, dingen. Je bent gek als je dat niet doet."

Mindy grijnsde een beetje verlegen en begon te eten. Nu pas merkte ze dat ze echt honger had. Misschien had ze voorheen werkelijk te weinig gegeten in haar poging niet als een veelvraat over te komen.

"Kan ik je een lift naar huis geven?" vroeg Armando op een bepaald moment.

"Moet je dan mijn kant uit?"

"Ja."

"Je weet helemaal niet waar ik woon."

"Dat doet er niet toe."

Ze stopte met het kauwen op haar croissant en keek hem wat verwonderd aan. "Hoef je nergens te zijn?"

"Ja. Daar waar ik wil zijn."

"Ik had schilder moeten worden," mompelde Mindy.

"Het is nog niet te laat."

"Nee. Maar ik heb geen talent."

"Wie zegt dat ik dat heb."

"Ik denk niet dat ze je anders voor die expositie hadden gevraagd."

"Een vrij grote groep mensen vindt het mooi wat ik doe. Maar smaak is subjectief."

"Ik denk niet dat mensen onder de indruk zijn van wat ik doe. Zelfs geen kleine groep." Ze grinnikte en nam een slok koffie.

HOOFDSTUK 16

Mindy had haar spullen gepakt en wachtte in de lounge op Armando.

Ze zag een oude man in een grijs pak in een iets gebogen houding door de Breviergang in de binnentuin schuifelen.

Mindy dacht aan broeder Dominicus. Hij woonde niet in het missiehuis, had hij gezegd. Ze vroeg zich af waar hij dan vandaan kwam en waar hij woonde. En waarom hij in het hotel rondliep.

Ze wierp een korte blik op de receptioniste, die achter de computer aan het werk was, twijfelde slechts heel even en liep toen naar haar toe. "Ik heb een vraagje," begon ze onzeker.

De receptioniste keek haar vriendelijk vragend aan.

"Logeert er een broeder Dominicus hier in het hotel?"

"Broeder Dominicus? Ik ben bang van niet. Ik ken die naam niet."

"Hij heeft de verantwoordelijkheid over twee jongens die hier nogal eens rondrennen?"

"Twee jongens?" De receptioniste keek Mindy wat verwonderd aan.

"Eentje met blond haar en eentje met donker haar, twaalf jaar oud; August en Philippe."

De receptioniste leek even na te denken en schudde haar hoofd. "We hebben momenteel geen gasten in die leeftijd."

"Ik weet ook niet zeker of het gasten van het hotel zijn. Ik weet alleen dat broeder Dominicus op de jongens moest letten en dat ze hem het leven een beetje zuur maakten."

"U hebt met deze broeder Dominicus gesproken?"

Mindy knikte.

"Hier in het hotel?"

Mindy knikte opnieuw.

"Dan denk ik dat de broeder in het hiernaast gelegen missie-huis woont."

"Die rechercheur, Nelis Roodt, heeft daarover navraag gedaan omdat de broeder de nacht waarin Hannah Verbaan verdween door de gangen van het hotel wandelde en wellicht meer over haar wist. In het missiehuis vertelden ze dat er geen broeder Dominicus woonde en de broeder zelf bevestigde dat later."

"Oh. Dat is vreemd," zei de receptioniste. Haar gezicht kreeg een peinzende uitdrukking. "Maar wellicht is hij gast in het missiehuis?"

"Zouden ze dat dan niet aan de rechercheur hebben verteld?"

"Je zou zeggen van wel, maar wellicht heeft de rechercheur met iemand gesproken die niet van het bezoek op de hoogte was?"

"Ik neem aan dat dat mogelijk is," gaf Mindy toe. Ze wierp nog een blik op de binnentuin, maar de oude man in het grijze pak was verdwenen. En hij was niet broeder Dominicus geweest. "Ik had hem eigenlijk heel erg graag nog even gesproken," zei ze toen. "Het is een prettige man en hij heeft mij geholpen toen ik het even moeilijk had. Ik wil hem zo graag bedanken."

"Ik kan contact opnemen met het missiehuis en vragen of hij daar nog is," stelde de receptioniste voor.

"Zou u dat willen doen?"

"Natuurlijk. Maar ik kan niet beloven dat hij inderdaad daar logeert en hierheen kan komen."

"Nee. Dat hoeft niet. Het is voldoende als u het vraagt. Mocht hij niet in de gelegenheid zijn om hierheen te komen, dan kunt u misschien zeggen dat ik hem dankbaar ben voor zijn vriendelijkheid en hulp."

"Ik zal kijken wat ik voor u kan doen."

Mindy bleef aan de balie wachten, terwijl de receptioniste het missiehuis belde en een kort gesprek voerde met iemand aan de andere kant van de lijn.

Mindy kon niet verstaan wat ze zei, maar wachtte – een beetje ongeduldig – af. Toen de receptioniste zich met een gedienstige glimlach weer tot haar wendde, voelde ze opwinding als een kleine vuurbal in haar lichaam rond kaatsen.

"Helaas verblijft broeder Dominicus niet in het missiehuis," begon de receptioniste.

Mindy voelde het vuurballetje doven en koud worden. Ze deed haar best om het niet te laten merken.

"Een van de paters heeft echter aangeboden om hierheen te komen en met u over de broeder te praten. Hij had eerder een gesprek met de rechercheur en was degene die duidelijk maakte dat deze broeder Dominicus niet in het missiehuis woonde. Maar hij herinnerde zich later iets over de broeder, wat hij graag met u wil bespreken."

Het vuurballetje kwam weer tot leven. Mindy keek de receptioniste, bijna bang voor te veel vreugde, aan. "Hij komt nú hierheen?"

De receptioniste knikte. "Als u tenminste tijd hebt?"

"Meer tijd dan ik de laatste jaren heb gehad."

Mindy nam plaats aan de leestafel en Armando wandelde met zijn oude bruine koffer de lounge binnen, keek even vragend om zich heen, zag haar zitten en liep naar haar toe. "Klaar?"

"Bijna."

Hij trok zijn wenkbrauwen op.

"Ik heb je verteld over broeder Dominicus."

"Ja?"

"Hij hielp mij toen ik het moeilijk had. Ik wilde hem graag daarvoor bedanken, maar hij schijnt hier niet te wonen. Een pater die hem blijkbaar kent, komt echter hierheen. Misschien kan hij iets meer over de broeder vertellen."

"Ik ben benieuwd," zei Armando. Hij ging ook aan de tafel zitten en speelde met de tijdschriften, die voor zijn neus lagen, zonder erin te kijken. "Héél benieuwd."

Mindy grijnsde. "Je dacht dat hij niet bestond."

"Ik heb met die gedachte gespeeld."

"Spoken bestaan niet."

Armando glimlachte alleen.

"En ik ben niet gek."

"Ach, wat is gek?" Hij lachte plagend.

Mindy wilde hem van repliek dienen, maar zag net op dat moment een statige, korte maar stevige man in een donkerblauw pak het hotel binnenlopen en ze wist vrijwel zeker dat het de pater was, die haar wilde spreken.

Ze ging haastig recht zitten en wilde wenken, toen hij haar al zag, glimlachte en meteen naar haar toe liep. "Juffrouw Mindy Mees?"

Mindy knikte. "En dit is Armando Arends. Kunstschilder. Hij…"

"Hij gaat de schilderijen voor de expositie maken. Ik heb over hem gehoord."

De pater gaf Armando een hand en nam toen plaats tegenover hen.

"De vraag van de rechercheur hield mij lang bezig," begon hij. "Ik wist met zekerheid dat er geen broeder Dominicus in ons missiehuis woonde. Het was dus heel bijzonder dat u beweerde de betreffende broeder te hebben gezien. Dat hij niet als gast in het hotel verbleef, was mij eigenlijk meteen duidelijk. In dat geval had de rechercheur dat zeker geweten. Ik denk dat het een van de eerste vragen was die hij het personeel van het hotel stelde toen u over deze broeder had verteld."

"Dat neem ik aan," gaf Mindy toe. Ze had er geen moment bij stilgestaan, maar het lag voor de hand dat de recherche navraag had gedaan.

"En ik kan niet ontkennen dat ik aan een bedrieger heb gedacht," ging de pater verder. Het was alsof hij een beetje kleurde, toen hij dat zei. "Maar waarom zou iemand zich als een broeder voordoen, terwijl het hem geen enkel voordeel oplevert? Er is de laatste dagen niets gebeurd in het hotel; geen diefstallen en geen andere zaken die een vervalsing van identiteit konden verklaren. Natuurlijk was op dat moment juffrouw Verbaan verdwenen en leek dat een aanleiding tot een dergelijk toneelspel. Maar juffrouw Verbaans verdwijning had achteraf niets met de broeder te maken. Bleef dus de vraag wie die broeder nu eigenlijk was."

De pater zweeg een paar seconden en vouwde zijn handen op zijn schoot. Hij keek Mindy en Armando aan. "Ik heb nooit in spoken geloofd. Noch in geestverschijningen, zoals ze tijdens televisieprogramma's of sensatiezoekende films worden vertoond. Maar ik ben ervan overtuigd dat er meer is dan wij stervelingen kunnen bevatten."

Mindy keek hem bevreemd aan. Het vuurballetje in haar lijf was gaan liggen en flakkerde afwisselend op, om meteen daarna weer in een ijsklompje te veranderen.

"De naam bleef mij bezighouden, net als het verhaal van de jongens die hier rondrenden, maar die niemand anders had gezien. Ik wist dat ik de namen kende…" Hij zweeg weer even en keek naar zijn handen. "Ik heb de oude boeken erop nageslagen. Er is een broeder Dominicus in St. Willibrordhaeghe geweest, in de tijd dat we nog een klooster, internaat en school waren. Hij heeft niet zo lang hier gewoond. Maar in de tijd dat hij hier leefde, werkte hij in de bakkerij van het klooster en hielp hij bij de begeleiding van de jongens. Broeder Dominicus was een zachte man. Te zacht, werd wel eens beweerd. En hij had hart voor het klooster en voor de jongens die hier in opleiding waren. Sommige broeders beweerden dat hij niets liever wilde dan zelf de opleiding tot pater te voltooien, maar ik waag het te betwijfelen. Ik geloof niet dat het zijn intelligentie was die hem daarvan weerhield. Het was eerder zijn kijk op de wereld, die toch enigszins afweek van de geldende normen en waarden binnen deze muren. Zelfs als hij dat graag ontkende."

"Wat gebeurde er met deze broeder?" vroeg Mindy. Het vuurballetje was definitief een ijsklompje geworden en lag doodstil op de bodem van haar maag.

"Broeder Dominicus was een zachtaardige man. Zoals ik reeds zei. Hij was begaan met de jeugd en voor het nieuwe schooljaar van 1974/1975 pleitte hij voor de aanname van enkele jongens, wier geschiktheid voor onze school in twijfel werd getrokken. Maar als internaat en school was het niet gemakkelijk om het hoofd boven water te houden en de economie van onze instelling maakte het noodzakelijk om de toelating van jongeren gemakkelijker te maken. Dat was de reden waarom broeder Dominicus uiteindelijk ook zijn zin kreeg. Ondanks de twijfel over de begeleiding die de staf kon bieden. Het werd nooit hardop gezegd, maar broeder Dominicus voelde zich verantwoordelijk voor de jongens en ik mag aannemen dat de staf daar stilzwijgend in meeging.

Er waren echter twee knapen, die voor bijzonder veel problemen zorgden. Een van hen haalde kwajongensstreken uit, die ervoor zorgden dat de staf ernstig overwoog om hem van school te verwijderen. De andere jongen was onvindbaar voor tien dagen. Broeder Dominicus deed wat hij kon om het gedrag van de ene jongen in goede banen te leiden, terwijl hij eigenlijk doorlopend op zoek was naar de verdwenen jongen. Maar hij kon niet voorkomen dat een verwijdering van school voor beide knapen uiteindelijk realiteit werd."

"Hoe heetten de twee jongens?" vroeg Mindy. Haar stem klonk opvallend hol.

"August en Philippe," antwoordde de broeder. Hij keek Mindy recht aan. "U begrijpt waarom uw verhaal mij uiteindelijk zo intrigeerde."

Mindy schoof achteruit en keek de pater verbijsterd aan. "Maar het kan toch niet… het kan niet zo zijn…" Ze struikelde over haar eigen woorden en maakte de zin niet af.

"Wat is er uiteindelijk met broeder Dominicus gebeurd?" wilde Armando weten.

"Dat weet ik niet. Broeder Dominicus heeft het klooster na dat schooljaar verlaten. Hij wilde mensen helpen. Daadwerkelijk helpen. Niet op de manier waarop wij dat hier in ons klooster deden door middel van het verspreiden van het geloof, de gespreksgroepen en de acties om de mensen in de derde wereld te helpen, maar door letterlijk de helpende hand uit te steken. Toen ik de laatste keer iets van hem hoorde, nu alweer twintig jaar geleden, hielp hij de daklozen in Amsterdam. Daarna is het contact verbroken. Ik weet niet eens meer of hij nog leeft."

Mindy staarde voor zich uit. "Het moet een vergissing zijn," mompelde ze. "Ik praatte met hem. Ik zat naast hem en kon hem aanraken. Je kunt een spook niet aanraken." Ze schudde haar hoofd.

"Misschien heeft de man die zich hier broeder Dominicus noemde, niets met de broeder Dominicus die ik vroeger heb ontmoet te maken. Misschien gaat het om toeval of om een grap. Ik weet het niet. En ik geloof ook niet dat we dat ooit te weten komen." Hij stond op. "Maar als het een goed man was, die u hielp toen u daar behoefte aan had, doet dat er verder wellicht ook niet toe." Hij glimlachte naar Mindy en liep weg.

Mindy bleef een tijdlang doodstil zitten, terwijl het ijsklompje in haar buik groeide. Toen schudde ze resoluut haar hoofd. "Onzin," mompelde ze. Ze stond op en keek naar Armando. "Zullen we gaan?"

Armando knikte.

Ze liepen het hotel uit, regelrecht de voorjaarszon in. Het was een heerlijke dag en niets kon haar ervan weerhouden om er gewoon van te genieten. Maar vlak voordat ze in de grasgroene Kever van Armando stapte, keek ze toch nog een keer naar het hotel.

Groots en deftig rees het op uit het voorjaarsgroen, als een heer van stand, neerkijkend op de nietige bezoekers. Mindy's aandacht werd naar een van de ramen getrokken, waar een gordijn opzijschoof en de vage omtrek van een bekend rond gezicht met warrig wit haar kort zichtbaar was.

Haar adem stokte even.

"Wat is er?" vroeg Armando.

Het gordijn gleed weer zachtjes terug op de plaats. Mindy schudde haar hoofd. "Niets. Er was niets."

Armando glimlachte, terwijl hij keek naar het raam dat Mindy's aandacht had getrokken. "Er is meer tussen hemel en aarde, mijn vriend Horatio, dan uw geest kan bevatten."

"Shakespeare was een schrijver en fantast," zei Mindy. Ze stapte in, maar wierp toch nog een laatste blik op het voormalige klooster voordat ze wegreed. Onopvallend stak ze haar hand op en zwaaide naar het raam met het inmiddels weer gesloten gordijn, juist toen ze wegreden.

EPILOOG

Mindy stond voor de oude witte boerderij, net buiten Vaals.

Het was alweer herfst, maar aangenaam voor de tijd van het jaar. De oude eiken, die de boerderij als beschermengelen omringden, droegen bladeren die met hun gouden glans de diepe herfstkleuren benadrukten. Paddenstoelen leunden tegen het trapje, dat toegang verleende tot de entree en vormden een mutsje op de boomstronk net voorbij het hoge raam.

Mindy droeg een oude tuinbroek met een abstract patroon van verfspatten in diverse kleuren. Hier en daar kleefden glitters aan de randjes, alsof ze bang waren om het stof los te laten.

Armando kwam naar buiten, liep naar Mindy toe en draaide zich om, zodat hij net als Mindy naar de entree van de boerderij keek. Zijn blik gleed over de enigszins scheve leemwanden, het vakwerk en de eiken kozijnen. Hij bekeek de grote eiken deur en het hoge raam, waarachter een uitnodigend zitje was gecreëerd van oude meubels, die op eigenzinnige wijze een persoonlijk karakter hadden gekregen. Zijn blik volgde die van Mindy, over de ramen met de fleurige gordijnen en de sliert met blaadjes en bloemetjes, die als een verloren slinger dusdanig op de gevel was geschilderd, dat het leek alsof het erop geplakt was.

Achter de ramen had iedere kamer zijn eigen thema. Ze hadden een elfenkamer, trollenkamer, drakenkamer, tovernaarskamer, heksenkamer, eenhoornkamer, kabouterkamer en de kamer van de zeemeerminnen. De laatste maanden hadden hij en

Mindy vrijwel iedere vrije minuut eraan gewerkt om de kamers de vorm te geven die Mindy in gedachten had en het resultaat was een kinderdroom, die ook volwassenen in de armen nam en koesterde.

Als laatste keek hij naar het bord, dat ze zojuist hadden opgehangen.

FAIRYTALE HOTEL. De letters waren geschreven in glitterend goud en omringd met bloemetjes en sterretjes.

Ze waren trots op het resultaat. Armando was trots op Mindy, omdat de ideeën van haar af kwamen. Hij legde zijn arm om haar heen en trok haar tegen zich aan. "Morgen is het zover."

Mindy knikte. "We zitten de komende maanden helemaal volgeboekt. Wie had dat kunnen denken?"

"Ik."

"Kom op. Je kende mij nauwelijks toen we samen naar huis reden. Ik kan mij niet voorstellen dat je mijn ideeën voor een sprookjeshotel of pension toen al werkelijk serieus nam. Dat deed ik zelf niet eens."

"Ik bood je mijn huis aan."

"Ja, dat deed je."

"Ik had vertrouwen in je."

"Meer dan ikzelf."

"Ik zei al dat je jezelf onderschatte."

"Ja, dat zei je. Meerdere keren. Al toen je terugkwam op mijn dromerij in het hotel over een pension en zei dat je een geschikt pand wist en later, toen je mij jouw huis liet zien en vertelde dat ik er een pension van mocht maken. Zonder kosten, zonder risico, en ik dat niet durfde. Omdat het jouw huis was. Omdat ik niet wist of het zou lukken."

"Ik twijfelde geen seconde aan je. Bovendien was het huis veel te groot voor mij. Ik nam het over van mijn ouders toen ze naar een seniorenwoning in Vaals moesten verhuizen, maar het was gewoonweg te groot. Te leeg. Jouw idee gaf een mogelijke invulling. Ik vond het een goed idee."

"Maar nu is het huis niet meer van jou alleen. Nou ja, een beetje wel, omdat het nog steeds op jouw naam staat, maar ik woon er nu ook. En straks komen er gasten."

"Ik ben blij dat je er nu ook woont. En gasten zijn leuk. Meestal."

"Ze zullen kinderen bij zich hebben die rondrennen en kabaal maken."

"Ik hou van kinderen."

"Dat zei je: ja."

"Dus?"

"We zijn nog niet getrouwd."

"Dat kan geregeld worden."

"Nu al?"

"Volgens Pablo Picasso mag je alleen zaken tot morgen uitstellen, als je het je kunt veroorloven om die zaken op je sterfbed niet afgewerkt te hebben."

Mindy lachte. "Mijn ouders en mijn zussen zullen je alleen al vanwege dat soort uitspraken mogen. Ze haten uitstellen."

"Ze haten het ook om iets onafgewerkt te laten, zelfs als het niet belangrijk is."

"Dat ook."

"En ze vinden mij raar."

"Ben je ook."

"Goed. Je hebt een punt."

"Maar papa zei laatst dat hij trots op me was. En mama mompelde iets wat een goedkeuring leek."

Armando lachte. "Uiteindelijk toch je zin?"

"Hm. Eigenlijk is het niet meer echt belangrijk. Maar evengoed leuk. Is dat raar?"

"Natuurlijk is dat raar. Maar je bent raar. Net als ik. Daarom passen we zo goed bij elkaar. Ga je mee naar binnen? Ik heb thee gemaakt."

"Welke thee?"

"Een of ander mengsel van de kleine Chinees, die we laatst in Valkenburg troffen. Ik vond dat we het eerst maar moesten uitproberen, voordat we het onze gasten in het hotel aanbieden."

"Hoe ruikt de thee?" vroeg Mindy toen ze naar binnen liepen. "Raar."

"Hm. Dan zou hij perfect moeten bevallen." Ze lachte en keek heel even naar de oude, vergeelde foto, die in een wat kitscherige lijst in de hal van het hotel hing. Ze had hem op een rommelmarkt op de kop getikt, omdat de man op de foto haar hart had geraakt.

Het was niet broeder Dominicus. Dat had ze minstens honderd keer in zichzelf herhaald. De foto was tenslotte al een eeuw oud. Maar de man op de foto, in zijn bruine broedersdracht, leek evengoed sprekend op de oude broeder. En het leek alsof hij altijd stilletjes naar haar lachte, als ze voorbijliep.